"*Viviendo con alegría* es un
sita para un mundo que se
conforma con placeres efímeros. Con su humor característico y sus ideas para vivir la fe diariamente, Chris Stefanick comparte el camino a la alegría encontrado por las personas que viven en lugares tan diferentes como Nueva Jersey y los barrios marginales de Haití. *Viviendo con alegría* te ayudará a descubrir el gozo que sólo Jesucristo puede dar. "Os he dicho esto, para que mi gozo esté en vosotros, y vuestro gozo sea colmado." (Juan 15,11).

ARZOBISPO SAMUEL J. AQUILA
Arquidiócesis de Denver

"En *Viviendo con alegría*, Chris Stefanick hace un trabajo notable al guiar al lector en un viaje para encontrar la alegría. No tengo ninguna duda de que si sigues sus consejos y pasas tiempo con este libro experimentarás una alegría más profunda en tu vida, que el mundo no podrá quitarte".

PADRE DAVE PIVONKA, TOR
Presidente de la Universidad Franciscana de Steubenville

"Chris Stefanick nos convence poderosamente que Dios nos hizo para estar alegres, y nos muestra cómo vivirlo realmente. ¡Necesitamos este mensaje más que nunca, y Chris simplemente ha hecho posible que elijamos un nuevo camino donde la alegría duradera sea posible!"

MADRE GLORIA THERESE, TOC
Superiora General, Hermanas Carmelitas del Sagrado Corazón de Los Ángeles

"Mira cualquier presentación, video o narración de Chris Stefanick y lo primero que verás es una auténtica, contagiosa, y pura alegría. ¿Cómo lo hace, todo el tiempo?! ¡*Es como dinamita*! Él quiere que sepas que *tú* también tienes esa capacidad dentro de ti mismo, y nada o nadie puede privarte de ella. ¿Qué es, cómo la aprovechamos, o la sentimos y expresamos todo el tiempo, incluso y especialmente en los malos momentos? Primero, la alegría es un regalo del cielo. Así es este libro. Responde a esas preguntas y te lleva a un viaje sencillo pero que realmente cambia la vida, y nunca serás el mismo. ¡Aprecia esta oportunidad!"

Sheila Liaugminas
Periodista, Autor, Locutor

VIVIENDO CON ALEGRÍA

CHRIS STEFANICK

VIVIENDO CON ALEGRÍA

9 REGLAS PARA AYUDARTE A REDESCUBRIR Y **VIVIR LA ALEGRIA CADA DÍA**

AugustineInstitute.org

RealLifeCatholic.com

Augustine Institute
6160 S. Syracuse Way, Suite 310
Greenwood Village, CO 80111

Real Life Catholic
6160 S. Syracuse Way, Suite 100
Greenwood Village, CO 80111

27 26 25 24 23 22 21 1 2 3 4 5 6 7

A menos que se indique lo contrario, las citas de las Escrituras están tomadas de la versión estándar revisada de la cuarta edición en castellano de la Biblia de Jerusalén (Barcelona, Editorial Desclée de Brouwer 2009).

Traducido por Luis Soto, Intercultural Ltd.
Diseño de portada por Patty Borgman
Diseño interior por Emily Demary
Créditos fotográficos: Marliese Carmona

ISBN: 978-1-955305-16-7 (Paperback—Spanish)
ISBN: 978-1-955305-15-0 (Paperback—English)
Número de control de la Biblioteca del Congreso: 2021943275

Publicado 2021 Impreso en Canadá

Contenido

Introducción

Os he dicho esto para que mi gozo esté en
vosotros y vuestro gozo sea colmado.
—Juan 15,11

MI PADRE tuvo un ataque al corazón recientemente, justo delante de mí. No importa la edad que tengas, siempre ves a tu padre como un símbolo de fuerza y estabilidad. Fue aplastante ver como esa columna se tambaleaba en su base. Casi se derrumba mientras yo lo ayudaba a subir las escaleras y después al automóvil. Estaba orando mientras corríamos hacia el hospital: "Dios, por favor, no dejes que mi padre muera en la vía".

Me encanta la buena gente que trabaja en las salas de urgencias. Los ojos de una enfermera se iluminaron cuando nos detuvimos. "Es el momento de salvar vidas", dijo. Aprecié su optimismo, pero no lo compartí. Mi padre tiene una larga historia de enfermedades del corazón.

Después de algunas exploraciones, el médico entró en la sala para actualizarnos. Siempre esperas que el médico venga con una sonrisa, un plan y una píldora para mejorar todo. Pero, en ocasiones, el médico entra con una cara sombría y noticias tristes. Si esto aún no te ha sucedido, eventualmente ocurrirá porque, bueno, nadie sale vivo. (Siento darte esa noticia.) El médico negó con la cabeza y dijo: "Sus arterias están bloqueadas por todas partes. No hay nada que realmente pueda hacer".

A través de una serie de pequeños milagros y excelentes doctores, mi padre había salido adelante hasta ese día. Pero estábamos convencidos de que su camino había llegado a su fin. El ambiente era pesado en la unidad de cuidados intensivos donde me sentaba con él y mi madre, su esposa desde hace cuarenta y nueve años, esperando lo inevitable. Y en esa oscuridad, brillaba la luz del heroísmo silencioso de mis padres.

Mi madre me miró y me dijo: "No tengo derecho a quejarme a Dios de nada. Estoy agradecida por la vida que nos ha dado. Estoy agradecida por estos cuarenta y nueve años". Podía ver el profundo dolor en sus ojos, pero había algo más profundo.

Entonces mi papá habló. Pidió sostener mi rosario, lo puso contra su pecho, sonrió y dijo: "Estoy posando para mi ataúd". Luego dijo con calma: "No estoy preocupado por nada". Pude ver el dolor al fondo de su pecho, pero había algo más profundo.

Era alegría. Verdadera alegría. No la falsa "alegría" nacida de la negación o la ilusión. El dolor era real, y lo estábamos enfrentando juntos. Pero la alegría era "más real".

Para el cristiano:

- La alegría no es lo que ocurre cuando la vida va perfectamente. Es lo que sucede cuando sabes que eres amado perfectamente, incluso cuando la vida es un desastre.

- La alegría no es ganar. Es cuando sabes que ya has ganado.
- La alegría no es una ausencia de dolor. Es la presencia de Jesús.

Este libro trata sobre conquistar la alegría para la que fuiste creado. Es una alegría que puedes tener ahora mismo, aunque estés sentado en una UCI, porque no depende de un cambio en tus circunstancias; sino de un cambio en ti.

Y lo que más me entusiasma de este proyecto es que te voy a mostrar exactamente cómo conseguirlo. Pero tienes trabajo que hacer. Comencemos.

¿Tienes alegría?

También vosotros estáis tristes ahora, pero volveré a veros y se alegrará vuestro corazón, y vuestra alegría nadie os la podrá quitar.
—Juan 16,22

LA ALEGRÍA NO ES UN LUJO. Es una necesidad. Todo corazón humano nace buscándola. Y todo corazón se alimenta de ella.

LA ATRACCIÓN DE LA FELICIDAD

Tú. Quieres. Alegría.

Quieres una autentica felicidad, no solo un "buen humor" pasajero. Y tu deseo de alegría impulsa todo lo demás que alguna vez has buscado en la vida. De hecho, sólo queremos otras cosas porque todos queremos esa *única cosa*. Si buscas dinero, es porque crees que el dinero te dará alegría. Si quieres el éxito, es porque piensas que el éxito te dará alegría. Si quieres tener un impacto en el mundo, si quieres que tus hijos sean equilibrados, si quieres un buen matrimonio, o si quieres un yate atracado en Kauai con tu propio barman personal para mezclar tus martinis (espero que lo consigas, y además espero que me invites), y todo esto es por una razón. Quieres ser feliz. Quieres alegría.

¿Cómo lo sé? Porque puedo leer la mente. Y todos tenemos básicamente las mismas "cosas" en nuestra cabeza. El cerebro humano no ha cambiado mucho durante unos pocos cientos de miles de años. Y el espíritu humano no se ha desviado de ese anhelo desde que tallamos nuestros sueños de cacerías felices en las paredes de las cuevas y dejaron las huellas de sus manos para que las generaciones futuras -unidas en el mismo anhelo a través del tiempo – puedan encontrar. (Bien hecho, cavernícolas.)

> "Las circunstancias pueden romper los huesos de un hombre, pero no su alegría".
> —Ryan Lovett

Todos buscamos la alegría.[1] Y ese anhelo traspasa edades, culturas y religiones. Aristóteles enseñó que la felicidad es el fin —el "telos"— detrás de todo lo que hacemos. El Dalai Lama dijo: "Los 7 mil millones de seres humanos — emocional, mental, físicamente — somos iguales. Todo el mundo desea una vida feliz".[2] San Juan Pablo II, cuando

[1] Utilizaré las palabras felicidad y alegría indistintamente, pero con una preferencia por alegría. La felicidad ha llegado a implicar una satisfacción basada en las circunstancias. La alegría es algo eterno. Y, dado que nuestros corazones están hechos para el cielo, no sirven las pequeñas dosis de la felicidad basada en la casualidad. La alegría captura más de cerca lo que estás buscando.

[2] Charlie Campbell, "The Dalai Lama Has Been the Face of Buddhism for 60 Years. China Wants to Change That," *Time*, March 7, 2019, https://time.com/longform/dalai-lama-60-year-exile/.

tenía ochenta y dos años, hablando a cientos de miles de jóvenes en Toronto, se dirigió a todas las generaciones con las siguientes palabras: "Queridos jóvenes. ... He sentido el profundo anhelo que late dentro de sus corazones: *¡quieren ser felices!*"[3]

En palabras de Blaise Pascal, "Todos los hombres buscan la felicidad. Esto es sin excepción. ... La causa de que algunos vayan a la guerra y de que otros la eviten, es en ambos casos el mismo deseo con puntos de vista diferentes. Este es el motivo de toda acción de todo hombre, incluso de aquellos que se ahorcan".[4] Es algo extremo para reflexionar, el hecho que incluso cuando un hombre hace algo tan equivocado y trágico como poner su cabeza en una soga, lo que *realmente* quiere es escapar del dolor *para así* poder encontrar la felicidad.[5]

Todos buscamos la alegría. Una alegría inamovible, celestial, eterna. No cuando estemos muertos. Ahora. La alegría es el éxito. El logro sin alegría es un fracaso total.

Y la alegría no sólo da sentido a cada meta lograda; la alegría te da la fuerza para construir la vida para la que estás hecho mientras te esfuerzas por alcanzar esos hitos. Así es: la alegría es poder.

[3] Juan Pablo II, Discurso del Santo Padre Juan Pablo II, 25 de julio de 2002. http://www.vatican.va/content/john-paul-ii/en/speeches/2002/july/documents/hf_jp-ii_spe_20020725_wyd-address-youth.html.

[4] Blaise Pascal, Pensées, trad. W.F. Trotter (Mineola, NY: Dover Publications, 2018), nº 425.

[5] ¡Hay un lanzamiento similar a mi libro *La búsqueda*, escrito con Paul McCusker, que se centra por completo en la Regla 9 de este libro! Por lo tanto, si no estás convencido de esa regla cuando llegues al final, lee *La búsqueda*.

El poder de la alegría

Todo el mundo saca sus fuerzas de algún lugar. Muchos son impulsados por emociones poderosas como la ira, la lujuria o el orgullo; otros son impulsados por la promesa de poder, dinero o fama. Pero el propulsor más grande y tenaz de la vida es la alegría. La alegría no es sólo el sentimiento de satisfacción que surge cuando la lucha ha terminado. Es la fuerza para entrar en la lucha en primer lugar. Si tu vida es un automóvil, la alegría es la gasolina. Si tu vida es una batalla, la alegría es tu espada y tu escudo.

En el siglo V a.C, el pueblo judío estaba disperso y cansado. Los judíos que vivían en el exilio en Persia se enteraron que las murallas de su ciudad en Jerusalén habían sido derribadas. En ese entonces las murallas de la ciudad eran un problema serio. No había tratados internacionales de paz para protegerte. No había teléfonos inteligentes ni redes sociales para dar a conocer las violaciones de derechos humanos. Si tus vecinos querían tomar tu tierra y no tenías muros, la tomaban y mataban a tu familia en el proceso. Además, que Jerusalén no tenía muros, cuatro naciones vecinas (que ellos conocían) los querían muertos.

Nehemías lidero al pueblo para dejar la seguridad del exilio y volver a casa para reconstruir su ciudad: arriesgar todo para exigir la vida para la que fueron erigidos. Por muy emocionante que sea, al pueblo judío le debió sonar como una invitación a una fiesta en la piscina con un montón de tiburones.

Así que Nehemías los reunió, sabiendo que muchos de ellos podrían morir por la causa, y dijo: "No estéis tristes: la alegría de Yahvé es vuestra fortaleza" (Neh 8,10).

Casi puedo escuchar a la multitud murmurando: "¿Quién podría hablar de alegría en un momento como este? ¿Está loco este tipo?" Pero, al igual que cuando mi padre estaba a la puerta de la muerte, la alegría es precisamente lo que necesitaban. (Y como la mayoría de los profetas, probablemente estaba un poco loco, pero en el buen sentido).

No obtienes alegría después de ganar la batalla. Necesitas el poder de la alegría para entrar en la batalla: las grandes batallas y la batalla de la vida cotidiana.

Soy un fanático del boxeo. Algunos de los mejores boxeadores de la historia sonrieron al entrar al ring. No con la sonrisa engreída de: "Te voy a ganar", sino la de Manny Pacquiao de, "Soy un niño a punto de divertirme practicando mi deporte favorito en este momento". Probablemente tenía la misma sonrisa cuando ayudó a salvar a su familia de la inanición mediante la pesca de subsistencia cuando era niño en las Filipinas. Es impresionante como no se veía enojado mientras ganaba un título tras otro en un deporte increíblemente violento. Creo que esa alegría alimentó su ascenso de la pobreza extrema a ser uno de los hombres más ricos del mundo.

Cuando vives una vida alimentada por la alegría, te conviertes en una fuerza imparable.

Entonces, ¿cómo es exactamente el poder de la alegría?

- Hace que las tentaciones sean fáciles de derribar. Simplemente prefieres la alegría espiritual sobre la promesa del placer pasajero.

- Hace que perdonar a la gente sea más fácil. ¿Por qué? Porque esa persona puede haber tomado algo de ti, pero no dejaste que tomaran lo único que importaba.
- La alegría hace que sea fácil perseguir los sueños, porque los fracasos inevitables no pueden aplastar a una persona alegre.
- La alegría te convierte en un líder natural y un partícipe de la fe, porque te hace magnético y atractivo, y la gente quiere seguir tu ejemplo cuando están a tu alrededor.
- La alegría hace que tus contratiempos sean tu inspiración para volver a empezar. La alegría te da la perspectiva correcta para hacer frente a cada dificultad en la vida.
- La alegría incluso te ayuda a hacer más en el trabajo. "De hecho, un meta-análisis de más de 275.000 personas en más de 200 estudios encontró que las personas felices no solo son más productivas, sino que también reciben evaluaciones más altas por la calidad del trabajo, la capacidad de dependencia y la creatividad. Otro estudio encontró que los estudiantes que son más alegres en la universidad fueron más exitosos financieramente que sus compañeros una década después de la graduación".[6]
- La alegría afecta incluso su salud física. Harvard realizó un estudio sin precedentes, en el que se hizo un seguimiento de 268 estudiantes a lo largo

[6] Brendon Burchard, *High Performance Habits: How Extraordinary People Become That Way* (Carlsbad, CA: Hay House, 2017), 178.

de 75 años para averiguar qué factores los harían felices, exitosos y saludables en su vejez. Más adelante compartiré lo que descubrieron, pero por ahora, el artículo que resumía la investigación se tituló "Los buenos genes son seductores, pero la alegría es mejor."[7] Incluso descubrieron que, si alguien estaba alegre a los cincuenta años, eso era un mejor indiciador que el colesterol para predecir si estaría vivo y feliz a los ochenta años. Así que, ¡enciendan la parrilla y coman esas hamburguesas cubiertas de tocino, amigos! (Con moderación, por supuesto... si eso te hace feliz.)

- Finalmente, la alegría te convierte en una fuerza para el bien en el mundo. En palabras del entonces cardenal Ratzinger (más tarde Papa Benedicto XVI), "La pobreza más profunda es la incapacidad de alegrarse, el tedio de una vida considerada absurda y contradictoria... La incapacidad de alegrarse presupone y produce la incapacidad de amar, produce celos, avaricia, todos los defectos que devastan la vida de las personas y del mundo".[8]

En pocas palabras, la miseria es contagiosa y, si no se controla, en última instancia conduce a la guerra. La alegría es igualmente contagiosa y conduce a un mundo

[7] Liz Mineo, "Good Genes Are Nice, But Joy Is Better," *The Harvard Gazette*, April 11, 2017, https://news.harvard.edu/gazette/story/2017/04/over-nearly-80-years-harvard-study-has-been-show-ing-how-to-live-a-healthy-and-happy-life/.

[8] Citado en Stephen Mansfield, *Pope Benedict XVI: His Life and Mission* (New York: Penguin, 2005), 170.

mejor... el tipo de mundo que crean naturalmente las personas contentas.

Teniendo en cuenta todo lo anterior, no podemos darnos el lujo de ser receptores pasivos de nuestros estados de ánimo pasajeros, acarreados a través de la vida según nos "sentimos" en el momento. Hay una urgencia absoluta de trabajar en tu alegría. La alegría es fuerza. La alegría debe ser tu fuerza.

El diablo también sabe que la alegría es fuerza, y quiere que seas débil. Es por eso que muchas de las batallas en la vida espiritual, si prestas atención, son simplemente el diablo tratando de robarte tu alegría. Tú necesitas saber exactamente cómo ganar esa batalla diariamente porque ¡tu familia, compañeros de trabajo, iglesia, amigos y el mundo te necesitan!

> "La alegría es la forma más sencilla de gratitud".
> —Karl Barth

MÁS QUE UN SENTIMIENTO

Como ya te habrás dado cuenta, cuando uso la palabra "alegría", no estoy hablando de una experiencia "superficial". La alegría profunda, la alegría espiritual, es algo serio. Al igual que las profundidades del océano, no se mueven por corrientes superficiales. La alegría espiritual puede existir en lo más profundo de nuestro ser, incluso cuando la superficie es azotada por las tormentas de tristeza, luchas y fracasos. Y ahí es cuando más la necesitamos.

Este libro no trata sobre tus sentimientos superficiales. Está bien no sentir felicidad todo el tiempo. Está bien estar despierto por la noche con ansiedad. Está bien sentirse frustrado. Porque está bien ser humano. Si lees esto con la idea sesgada que para "triunfar espiritualmente" necesitas sentirte feliz todo el tiempo, solo terminarás protestando y reexaminando tus sentimientos todo el tiempo. Ese no es el objetivo de la vida espiritual. De hecho, si estás demasiado enfocado en tus sentimientos, acabarás siendo miserable. Irónico, ¿no?

Tus sentimientos nacen de mezclas químicas en tu cerebro. Tus disposiciones espirituales (que a veces conducen a sentimientos profundos y otras no) provienen de tu alma. Y puedes experimentar ambos al mismo tiempo. ¿Alguna vez te has sentido profundamente triste y esperanzado al mismo tiempo? Es lo que experimentamos en los funerales donde al mismo tiempo nos despedimos y recordamos el cielo. La tristeza que sientes en un funeral es natural y normal. Es una respuesta neurológica al "adiós". La esperanza que sientes está sucediendo en algún lugar muy profundo dentro de ti. Es una respuesta espiritual a la fe de que el adiós que estás experimentando es solo "hasta luego por ahora". No puedes controlar la naturaleza biológica dentro de ti, más de lo que puedes controlar la naturaleza fuera de ti, y es por eso que los sentimientos, por importantes que sean, necesitan ser puestos en su lugar. El movimiento espiritual hacia la alegría surge y puede burbujear hasta alcanzar sentimientos de felicidad. Pero los sentimientos suben y bajan como la marea. Nuestro objetivo es algo más profundo. Es trabajar por una disposición espiritual constante de alegría, de receptividad y de deleite en la realidad y, finalmente, en la Realidad Última: Dios.

TRES OBSERVACIONES

1. Necesitas "*meta*" tu "*noia*".

Antes de embarcarnos en las reglas para una vida más alegre, necesito lanzar una bomba sobre ti. La forma en que vas a obtener la vida que estás buscando se reduce a una palabra: ¡ARREPIÉNTETE!

Eso suena como una forma bastante negativa de empezar un libro sobre la alegría, ¿no es así? Pero es así como Jesús comenzó su ministerio público. En tres de los cuatro Evangelios, Jesús comenzó todo gritando la palabra "arrepiéntete" al mundo. Más tarde dijo: "Os he dicho esto para que mi gozo esté en vosotros y vuestro gozo sea colmado" (Juan 15,11). En otras palabras, todo lo que enseñó a la humanidad fue para que pudiéramos experimentar el gozo de Dios. (Eso es MUCHA alegría sobrehumana.) Significa que la palabra "arrepiéntete" es la puerta de salida a una carrera que termina en alegría.

¿Eh? ¿Cómo?

Bueno, hay que ver lo que significa realmente la palabra que usó Jesús. El Nuevo Testamento fue escrito en griego. Y la palabra que comúnmente se traduce como "arrepentirse" es "*metanoia*", y eso significa literalmente "cambiar tu forma de pensar". *Meta* (cambio) tu *noia* (pensamiento).

Así que, la bomba que acaba de caer sobre tí es esta: tú falta de alegría, y las formas en que no sientes que estás viviendo la vida para la que fuiste hecho, no es por tus circunstancias. Se debe a ti. El mayor obstáculo entre tú y la alegría eres tú mismo.

Con demasiada frecuencia, culpamos a nuestras circunstancias:

- Estaré en paz cuando mi hijo adolescente comience a respetarme. (No contengas la respiración).
- Estaré seguro de mí mismo cuando sea CEO.
- Seré feliz cuando mi esposa comience a tratarme bien y yo gane suficiente dinero.
- Me centraré en lo que más importa cuando la vida se calme en el mes de septobre (el mes que nunca llega).

No. Serás una persona alegre cuando *tú* cambies. Esa es una mala noticia porque es difícil. Es una buena noticia porque esa es la única cosa sobre la que en tu vida *tienes* algún grado de control.

2. Este libro es sencillo.

El libro detalla nueve reglas para ayudarte a hacer realidad la alegría y la vida para la que fuiste creado. Y todas son sencillas. Algunos podrían decir "tontamente sencillo". (¡Prefiero brillantemente sencillo!) Cualquiera puede complicar demasiado las cosas. Te lo haces a ti mismo todo el tiempo. También lo hago yo. La sencillez requiere mucho esfuerzo. Pero la diferencia entre una vida increíble y una vida aceptable es si realmente nos apegamos o no a esas cosas tontamente sencillas que *sabemos* que hacen que la vida sea increíble.

Este libro no pretende agobiarle con una carga de soluciones complejas y que consuman mucho tiempo. Se trata de pequeños cambios. Si alguna vez has disparado un rifle, sabes que un cambio muy pequeño en su dirección tiene un impacto radical en el destino. Si un objetivo está a doscientos metros de distancia y cambias tu objetivo unos pocos centímetros, lo perderás por completo.

Si empiezas a vivir según estas reglas sencillas, alcanzaras tu objetivo a lo largo de tu vida. Si no lo haces, lo perderás.

Después de leer este libro, es posible que se te ocurran veinte reglas más. No me escribas para decirme que deje por fuera a X. Guárdala tú. ¡Escríbela! Esta no es una lista definitiva o exhaustiva. Es sólo lo que he descubierto que funciona para mí. Además todo se basa en la sabiduría antigua de las Escrituras, mucha investigación de vanguardia, e efecto comprobado. He llevado conmigo este mensaje a través de años de viajar, hablar y entrenar a un millón de personas por todo el mundo. Si funciona para las innumerables personas a las que he tenido la bendición de ayudar, también funcionará para ti.

> "Hasta ahora nada le habéis pedido en mi nombre. Pedid y recibiréis, para que vuestro gozo sea colmado". —Juan 16,24

3. Este libro se basa en la evidencia, la experiencia y el sentido común.

Este libro se basa en la investigación y, como verás, en muchas experiencias de la vida real que resonarán en ti como verdades, la mayor parte difíciles de refutar. Permíteme decirte lo que no resuena como cierto y que intencionalmente he dejado por fuera de mi investigación: todos los estudios realizados sobre "los países más felices del mundo".

¿Cómo he podido omitir algo tan evidentemente importante en un libro sobre la alegría? Lo hago porque los estudios son erróneos. Cualquiera que haya leído los estudios sabe que no se trata de una verdadera alegría. Las calificaciones nacionales de felicidad incluyen cosas como la "sostenibilidad". No me malinterpreten, creo que el reciclaje es importante. Simplemente no confundo ser verde con ser verdaderamente feliz por dentro. No creo que tú lo hagas tampoco. También califican la riqueza como un indicador de felicidad.

De nuevo, esto no carece de importancia, pero todos nos hemos encontrado con personas ricas que son miserables. (La razón está en la Regla 8.)

He viajado por todo el mundo. Puedo decirles que hay muchas menos sonrisas en la rica y hermosa ciudad de Praga que en el pueblo de Duverger, Haití, donde "sonreír" es un eufemismo para la luz interior que brota y brilla en los rostros de la gente. (Te diré su secreto en la Regla 1.)

Se puede llegar desde aquí

Levantaos. Vámonos de aquí. —Juan 14,31

Escucha, no importa de dónde partas. No me importa si sientes que tu vida está arruinada. Dios cree en ti, y yo también. Lo único que importa es que comiences el viaje hacia la alegría. Si haces eso, puedes y darás en el blanco de *una vida mejor* para ti.

Es posible que hayas oído el chiste sobre el tipo que preguntó por una dirección y le dijeron: "No se puede llegar desde aquí". Es gracioso porque nunca es cierto. Puedes llegar a cualquier punto B desde, literalmente, cualquier punto A en la tierra. Tu ubicación no es un obstáculo para llegar a donde Dios quiere llevarte si comienzas a cambiar tu dirección ahora. Siempre puedes comenzar a vivir la vida para la que fuiste creado. Tu ubicación actual no afecta a tu destino.

Como dato personal, me apasiona emprender este viaje contigo por lo que he *visto* que estas nueve reglas han hecho por mí y por tantos otros. Cambiar mi enfoque de los problemas complejos de la vida cotidiana a seguir estas reglas sencillas ha cambiado mi vida, e, irónicamente también, me ha ayudado a afrontar todos los problemas que me plantea la vida de forma más segura. Tus problemas pueden ser complicados. Este libro no trata sobre tus problemas. Sólo de soluciones sencillas.

En resumen: Estas nueve reglas han cambiado mi vida para mejor. Ellas también cambiarán la tuya.

CÓMO UTILIZAR ESTE LIBRO

No recomiendo leer este libro de principio a fin sin parar. Hay demasiado en él. Quiero que este libro cambie tu vida, ¡así que tómate tu tiempo con él! Escribe un diario. Toma notas para saber exactamente cómo planeas vivir cada regla.

Por último, hay una sección de cómo hacerlo al final de cada regla (excepto la Regla 4, que se explica por sí misma). Te animo a que repases este libro con tus amigos y te pongas en contacto con ellos cada semana, aunque sea por una breve llamada telefónica, para hablar de tus progresos.

Recordamos mucho más lo que leemos cuando lo escribimos, y aún más cuando hablamos de ello con otros. Así que asegúrate de leer, escribir, y compartir.

Comencemos.

Regla 1: Dar gracias

En todo dad gracias, pues esto es lo que Dios,
en Cristo Jesús, quiere de vosotros.
—1 Tesalonicenses 5,18

NUESTRA PRIMERA REGLA es tan poderosa que he considerado escribir un libro entero sólo sobre ella. También, es tan sencilla que la mayoría de las personas pasan por alto el poder que puede tener en sus vidas y se olvidan de ser intencionales al respecto. Es la gratitud. Dar gracias. Pero por muy sencillo que sea, no viene naturalmente. Este libro te mostrará cómo hacerlo. Y cuando pongas en práctica esta regla en tu vida diaria, tu vida y tu actitud cambiarán para mejor.

NO ES POSIBLE QUE PUEDA SER TAN SENCILLO. ¿O SÍ?

Mucha gente se pregunta cuál es la receta secreta para una vida feliz, y por qué Dios no nos lo dice. Resulta que sí lo hizo, pero lo que dijo es sencillo, y estamos ocupados buscando una luz mística que brille detrás de una nube, iluminando un camino oculto. Buscamos un gurú que nos enseñe métodos espirituales secretos que la persona "corriente" no podría entender.

La gente ha caído en este error a lo largo de la historia. Pasamos por alto las soluciones sencillas que se esconden justo debajo de nuestras narices.

Cuando Naamán, un gran comandante del ejército, contrajo la lepra, se horrorizó. Era una sentencia de muerte en el mundo antiguo. Y muy dolorosa. Pero un rayo de esperanza se abrió paso cuando se enteró de un gran profeta en Israel. Un místico. Un hombre espiritual. Él hizo largo viaje para encontrar a Eliseo y pedir su curación. Cuando encontró a Eliseo, esperaba alguna ceremonia poderosa. O tal vez que le diría que subiera al acantilado más alto y comiera el huevo de un extraño pájaro que anidaba en las rocas. O, al menos, que le hicieran algún hechizo en una lengua extraña. Pero Eliseo le dijo que se bañara siete veces en el Jordán, y sería sanado. Entonces el profeta se fue... como un viejo normal y aburrido.

"Es 'el comienzo del cielo' para los agradecidos en la tierra". —Solanus Casey

"El profeta estaba obviamente equivocado. No puede ser tan tontamente simple. ¿¡He hecho un largo viaje, para ver a un reconocido hombre espiritual, y él me está diciendo que tome un baño!?" Naamán irrumpió furioso. Uno de los sirvientes de Naamán lo detuvo y dijo: "Padre mío; si el profeta te hubiera mandado hacer una cosa difícil, ¿es que no la hubieras hecho?

¡Cuánto más habiéndote dicho: Lávate, y quedarás limpio!" (2 Re 5,13).

Naamán cedió. Él ya había recorrido todo este camino. No hay nada que perder, pensó. Él hizo lo que el profeta le dijo, y como dice la Escritura, "y su carne se tornó como la carne de un niño pequeño, y quedo limpio" (2 Reyes 5,14).

¿Quieres que tu juventud sea restaurada? ¿Qué tu matrimonio sea sanado? ¿Quieres que se desaten bendiciones en tu vida? ¿Qué tu estado de ánimo mejore? ¿Tener un hogar que sea más feliz? ¿Quieres sacar más provecho de tu vida? Es más sencillo de lo que piensas: "En todo dad gracias, pues esto es lo que Dios, en Cristo Jesús, quiere de vosotros" (1 Tes 5,18).

El poder de la gratitud

La gratitud es PODEROSA.

Gratitud:

- Hace posible que disfrutes de las bendiciones que tienes.
- Fortalece las relaciones, porque cuando las personas se sienten apreciadas por ti, quieren estar a tu lado.
- Te prepara para impulsar las personas que están por encima de ti y la lealtad de las personas que trabajan para ti, porque todo el mundo quiere bendecir a aquellos que son agradecidos.
- Libera oxitocina y dopamina en el cerebro, que son productos químicos totalmente naturales para "sentirse bien".

- Te convierte en un imán de bendiciones. En palabras de Santa Teresa de Lisieux, "Lo que más atrae las gracias de Dios es la gratitud, porque si le agradecemos un don, él se conmueve y se apresura a darnos diez más, y si le damos las gracias de nuevo con el mismo entusiasmo, ¡qué multiplicación incalculable de gracias! Yo lo he experimentado; pruébalo tú mismo y lo verás. Mi gratitud por todo lo que me da es ilimitada, y se lo demuestro de mil maneras"[1]

Por el contrario, la ingratitud es el veneno que te roba la vida para la cual fuiste creado.

Ingratitud:

- Bloquea las bendiciones del Dios todopoderoso.
- Te impide disfrutar de las bendiciones que tienes.
- Destruye las amistades.
- Acaba con los matrimonios. He visto literalmente matrimonios que terminan porque uno o ambos cónyuges dejan entrar una corriente de pensamientos tóxicos y desagradecidos. (Si comienzas a buscar los defectos en tu cónyuge en lugar de las cualidades, créeme, los encontrarás. Ten cuidado: ¡tu cónyuge encontrará los defectos en ti!)
- Hace que la gente no quiera bendecirte o promoverte, porque ¿quién quiere bendecir a un ingrato?
- Arruina tu estado de ánimo y roba tu alegría.

[1] Jacques Philippe, *The Way of Trust and Love: A Retreat Guided by St. Thérèse of Lisieux* (New York: Scepter Publishers, 2001), 111.

En palabras de Solanus Casey, “Estén seguros, si el enemigo de nuestras almas se complace con algo en nosotros es la ingratitud, de cualquier tipo. ¿Por qué? La ingratitud conduce a muchas rupturas con Dios y con el prójimo”. También dijo que “la gratitud es tan necesaria para el orden social y la armonía como lo son las leyes de la gravedad para el mundo físico”.

No llega naturalmente

Pero la gratitud, por muy importante y sencilla que sea, no llega naturalmente. Somos insatisfechos naturales. Ninguno de nosotros llega a este mundo feliz. Venimos al mundo pateando y gritando. Ese es nuestro defecto. Y hay una razón para esto.

Culpemos a los cavernícolas. El cerebro humano no ha cambiado mucho desde que trazamos en las paredes de las cuevas. Y el cerebro, como nuestros otros órganos, no se formó para hacernos felices. Se formó para mantenernos vivos. El hombre de las cavernas que era bueno para detenerse y oler las rosas probablemente no era bueno para sobrevivir. No recibió sus genes porque se lo comió un tigre dientes de sable mientras disfrutaba de una agradable puesta de sol y tomaba una bebida de las que los hombres de las cavernas solían beber. El que se obsesionó con lo que podría hacerle daño fue quien sobrevivió el tiempo suficiente para transmitirte sus genes.

Pasa rápido cuarenta mil años desde tu bisabuelo hasta la décima generación que sobrevivió porque siempre estaba vigilando su espalda, y tú vas por la vida cuidándote la espalda. Estás conduciendo a través del tráfico. Alguien te corta el paso. Te pasas el resto del trayecto buscando a ese tipo. Puede que incluso pienses en él toda la noche.

Nunca has llegado a casa después de un duro día de trabajo y tráfico y has dicho: "Ha sido duro. Y no puedo dejar de pensar en ese tipo tan amable que me dejó pasar delante de él en la vía a casa. Intento concentrarme en los niños, pero sólo puedo pensar en su cara sonriente mientras me saluda". No. Te pasas el resto del día pensando en el único idiota que te cerró el paso. Te obsesionas. Casi te deleitas con tu propia molestia. Sólo tienes unos treinta mil días de vida. ¿Cuántos días has desperdiciado pensando en el único estúpido que te encontraste ese día?

Es la naturaleza humana, supongo.

También es de la naturaleza humana unirse a lo que nos molesta. ¿Cuántas reuniones terminan en una discusión sobre los problemas en el mundo? ¿Cuántas reuniones de la iglesia se centran en los problemas con su pastor? ¿Cuántas conexiones alrededor del dispensador de agua en el trabajo terminan en quejarse del jefe? Nos reunimos y "tribalizamos" contra cualquier fuerza mayor que pueda perjudicarnos. Es un mecanismo de supervivencia cavernícola. De nuevo, es natural.

¿No estás cansado de vivir en lo natural? San Pablo nos muestra cómo superarlo.

La receta secreta de Pablo

San Pablo era un aventurero. Un líder. Un hombre que tomaba las decisiones. Y él se sintió naturalmente atraído por todas esas cosas. Cuando el primer cristiano, Esteban, fue asesinado por su fe, sus verdugos pusieron sus mantos a los pies de Saulo (el antiguo nombre de Pablo). Él estaba a cargo.

Y no podía quedarse quieto. Viajó de un lugar a otro para encontrar más y más cristianos a los que perseguir. Su vida la pasó en los caminos.

Su conversión ocurrió en el camino a Damasco, y Dios lo encontró en movimiento, porque él siempre estaba moviéndose.

Y, después de su conversión, aplicó el mismo espíritu aventurero, previamente entregado al odio, a la difusión del amor de Jesucristo. ¡Adelante! ¡Adelante! ¡Vamos! Pasó su ministerio siempre de camino a algún lugar.

Algunos estimados dicen que viajó más de diez y seis mil kilómetros durante su ministerio público. Eso es casi cuatro veces el ancho de los Estados Unidos. Es fácil si tienes a Southwest Airlines. Con tanto viaje, ¡es posible que incluso él hubiese conseguido un estatus especial en la aerolínea, embarcar y disfrutar de la primera clase en la mayoría de sus viajes! No hace dos mil años. Viajar en ese entonces era arriesgarse a morir cada vez.

Así es como él lo describe:

> Tres veces fui azotado con varas; una vez apedreado; tres veces naufragué; un día y una noche pasé en el abismo. Viajes frecuentes; peligros de ríos; peligros de salteadores; peligros de los de mi raza; peligros de los gentiles; peligros en ciudad; peligros en despoblado; peligros por mar; peligros entre falsos hermanos; trabajo y fatiga; noches sin dormir, muchas veces; hambre

y sed; muchos días sin comer; frío y desnudez. (2 Corintios 11,25–27)

¿Pero sabes qué? No creo que nada de eso le haya servido de mucho. Los roces con la muerte le pusieron un brillo en sus ojos. ¡Creo que 2 Corintios 11 fue un alarde varonil! Pablo fue parte de la Fuerzas de Operaciones Especiales de la Iglesia primitiva.

Creo que la verdadera lucha de este guerrero de caminos llegó cuando fue encadenado y tuvo que pasar dos años bajo arresto domiciliario. Aburrido. Sin viajar. Sin más experiencias que desafiaran a la muerte. Sin poder ver las caras que amaba. Sin poder ver la luz que encendía en los ojos de alguien cuando escuchaba el Evangelio por primera vez.

Sin embargo, fue allí donde hizo algunos de sus trabajos más importantes. Gran parte de lo que escribió al mundo, y quizás lo más importante, mucho de lo que escribió sobre la alegría, fue desde la prisión.

Desde la prisión, escondido del mundo, apartado de una vida de aventuras, a la espera de ser decapitado, escribió: "No lo digo movido por la necesidad, pues he aprendido a contentarme con lo que tengo" (Fil 4,11). No estoy seguro de que me lo tomará demasiado en serio si lo hubiera escrito desde una playa de Cancún. Cualquiera puede estar contento en un sillón. Lo escribió desde la prisión. Pero eso no vino naturalmente a Pablo, como tampoco vendrá a ti. Tuvo que trabajar duro en ello. Y nosotros también.

Y desde la prisión describe cómo hacerlo: a través de la gratitud, la alabanza y la adoración.

Desde la prisión, escribió a los filipenses: "Estad siempre alegres en el Señor; os lo repito, estad alegres" (Fil 4,4). ¡Eso fue una orden! Mi madre solía decirme: "La alegría es una elección, Christopher". Tenía razón.

Pablo continúa con la alegría que destila su pluma, "No os inquietéis por cosa alguna; antes bien, en toda ocasión, presentad a Dios vuestras peticiones, mediante la oración y la súplica, acompañadas de la acción de gracias. Y la paz de Dios, que supera todo conocimiento, custodiará vuestros corazones y vuestros pensamientos en Cristo Jesús" (Fil 4,6-7).

Presta atención a lo que dijo, "en todo... con *acción de gracias*". Cada oración y pensamiento, incluso cuando nosotros clamamos por las cosas que necesitamos debe estar revestido de acción de gracias.

La Eucaristía ha sido el centro del culto cristiano desde el primer día de la Iglesia. La palabra "Eucaristía" significa "agradecimiento". ¿Está el agradecimiento en el centro de tu oración? ¿Está en el centro de tu alma?

Si no lo está, lo estás haciendo mal. Y seguramente serás un desgraciado, aunque ores mucho. Pero si lo está, incluso cuando la vida se pone difícil, estás destinado a ser alegre. Y más aún, estás destinado a ser imparable.

No podían vencer a Pablo, y él lo sabía. Él escribió, "Pero en todo esto salimos vencedores gracias a aquel que nos amó". (Rom 8,37). En otras palabras, "¡Vencedores es una insinuación de lo que somos!"

Todas las luchas lanzadas contra Pablo se volvieron en su contra:

- No pudieron asesinar a Pablo, pero pudieron convertirlo en un mártir.
- No pudieron encarcelar a Pablo, pero pudieron cambiar su ministerio de evangelista viajero a escritor.
- No pudieron ofender a Pablo, pero pudieron darle la oportunidad de perdonar.
- No pudieron matar de hambre a Pablo, pero pudieron ayudarlo a ayunar mejor.
- No pudieron llevar a Pablo a juicio, pero pudieron darle un púlpito para predicar frente a los jueces del mundo.

Pablo fue más que un vencedor. ¿Y tú? Si no, trata de dar más gracias.

La receta secreta de Haití

Vislumbré la luz del espíritu inconquistable de San Pablo cuando fui a Haití. Mi interés por Haití comenzó cuando recogí a mi hija pequeña en la escuela hace unos años. Me dijo: "Papá, he tenido un día miserable". Tiene diez años, está perfectamente sana y bien alimentada. Vive en una nación próspera. ¿Qué tan miserable pudo haber sido la escuela? Quería darle una dosis de perspectiva. Esto probablemente no es lo más saludable que se puede hacer, pero, de nuevo, no soy un psicólogo con licencia. Así que busqué en Google fotos de niños en Haití. Quería mostrarle que muchos niños alrededor el mundo en realidad luchan a diario sólo para sobrevivir. Todo lo

> "La persona que está llena de gratitud hacia Dios, cuya vida está impregnada por esta actitud primaria de gratitud, es también la única persona que está verdaderamente despierta".
> —Dieterich von Hildebrand

que pude encontrar fueron fotos de niños sonriendo.

No mucho después fui en un viaje misionero a Haití. Los niños en Haití sonríen más que los niños en Disneylandia. No se trata de minimizar el sufrimiento que padecen, pero cuando sonríen, es más una luz interior que brota de las profundidades que una sonrisa. He escuchado la frase "Su sonrisa podría iluminar una habitación". Esa rara vez es una afirmación verdadera, excepto en Haití. Vi innumerables sonrisas como esa.

No tienen nada en comparación con lo que tú has sido bendecido, pero tienen mucha gratitud. Están constantemente agradeciendo a Dios. Están constantemente agradeciendo a los demás. Nada de lo que tienen se pasa por alto. La gratitud es la clave que facilitará la sonrisa en tu rostro.

Ellos traen esa gratitud a la iglesia. Cuando llegué a predicar en Haití, me puse nervioso cuando no apareció nadie para mi presentación de las cinco de la tarde. Me dirigí a mi amigo que organizaba el evento y le pregunté dónde estaba todo el mundo. Se rio y dijo: "Las 5 p.m. no significa nada en un pueblo donde nadie tiene reloj. Al final vendrán". Por supuesto, la iglesia se llenó dos horas después. No tenían prisa por venir. Pero lo que realmente me sorprendió fue cómo no tenían prisa por irse. Nadie se fue después de mi charla, a la que siguió una larga misa, y después una hora de alabanza y adoración, que fue seguida por uno de los bailes más alegres que yo jamás había visto. Jóvenes y viejos se convirtieron en niños pequeños. Manos en el aire. Enormes sonrisas. Celebrando la vida, la fe y la familia. Todos parecían que acababan de ganar la súper lotería. Y no tenían nada.

Cuando le preguntas a un haitiano, "¿Cómo estás?" la respuesta típica es "Fuerte". La gratitud conduce a la alegría, y la alegría nos hace fuertes. Los haitianos no suelen centrarse en lo que les deprime. Se centran en lo que tienen que hacer hoy y en estar agradecidos por las cosas que van bien en sus vidas. La pobreza, los terremotos, la inestabilidad política, los huracanes que destruyen los pocos cultivos que cosechan con éxito, todo ello se resuelve levantándose al día siguiente cuando de nuevo se van a trabajar y dan gracias por lo que tienen.

Tras el terremoto que cobró cientos de miles de vidas en el 2010, la gente se congregó en la capital con tambores y comenzó a tocarlos fuertemente, muchos de ellos alabando a Dios mientras lo hacían. Querían mostrar al mundo que ellos también podían hacer temblar la tierra. Son personas increíbles. Algún día construirán una nación asombrosa gracias a ello.

Escucha, no he querido quitar importancia a los "problemas del primer mundo" de mi alumno de cuarto grado; desde luego, no quiero minimizar los problemas de Haití, y tampoco quiero restarle importancia a los tuyos. Y tal vez mientras lees esto estés pensando, "¡Pero Chris, mis problemas son reales! ¡Dar más gracias no hará que desaparezcan!"

Estoy seguro de que son reales. ¿Pero sabes qué más es real? El sol. Cuando sales a dar un paseo, ¿te quedas mirándolo? No, si lo haces, tus retinas se quemarán. En cambio, miras las flores. Tú no puedes controlar lo que te rodea, pero puedes controlar lo que hay dentro de ti. Puedes controlar en lo que te concentras y dejas que entre en tu corazón.

El resultado final del consejo de Pablo de dar alabanza, escrito desde la prisión, es donde enfocó su corazón estando ese lugar oscuro y donde elevará el nuestro. "Por lo demás, hermanos, todo cuanto hay de verdadero, de noble, de justo, de puro, de amable, de honorable, todo cuanto sea virtud y cosa digna de elogio, todo eso tenedlo en cuenta." (Fil 4,8).

Muchos haitianos no se dejan vencer por sus circunstancias. ¿Y tú? Si es así, trata de dar más gracias.

La receta secreta de Ana Frank

Antes de sumergirnos en cómo ser más agradecidos, quiero poner un ejemplo más para animarte: Ana Frank.

Las fotos de Ana siempre me han tocado lo más profundo del corazón: su sonrisa preadolescente, ese brillo en los ojos en medio de un mundo en llamas. Ana era un gigante como ser humano, no por hacer algo trascendental, sino porque sencillamente seguía siendo quien era a pesar del profundo mal que tuvo el escenario de su breve vida. Ese poder tenía todo que ver con el lugar donde fijaba su atención, tenía todo que ver con la gratitud.

Cuando Ana tenía cuatro años, su familia tuvo que huir de la Alemania nazi hacia los Países Bajos. A los diez años, los nazis tomaron medidas drásticas en los Países Bajos y privaron a los judíos de parques, teatros y trabajo. A los trece años, después de un intento fallido de irse a los Estados Unidos, su familia se unió a otra en un estrecho ático donde se escondieron durante dos años. A los quince años, los nazis asaltaron su recinto secreto. Su familia fue separada cuando fueron enviados a Auschwitz a realizar trabajos forzados. Ella y su madre no volverían a ver a su padre. Finalmente fue trasladada a otro campamento infestado de enfermedades donde ella y su madre murieron de fiebre tifoidea.

Cuando estaba escondida, Ana escribió: "Piensa en la belleza que se encuentra todavía en ti y a tu alrededor. ¡Se dichosa!" Y tal vez su cita más famosa: "Sigo creyendo en la bondad innata del hombre".[2]

Ella fue capaz de encontrar la belleza en ese ático. Fue capaz de encontrar la bondad en sus semejantes. Sus ojos jóvenes miraron a través de la noche oscura y encontraron destellos de luz y cosas por las que estar agradecidos. ¿Qué ves cuando miras los acontecimientos de tu vida?

¿Ves a las personas que te hacen daño? ¿O las fuentes de noticias (las que no recomiendo ver con demasiada frecuencia)? ¿O la mala jugada de los dados que perjudico tu cartera? ¿O al fanfarrón que te hizo la vida

[2] Ana Frank, *El Diario de Ana Frank.* (Freeditorial Publishing House https://freeditorial.com/es/books/el-diario-de-ana-frank/related-books pdf) 125,145.

imposible en la escuela secundaria hace veinte años? ¿O los padres que se esforzaron mucho pero no te amaron de la manera que necesitabas?

¿O tus ojos miran a través de la oscuridad de tu vida para encontrar algo más? La gratitud te ayudará a ver ese *algo más*. Te ayudará a encontrar la belleza y la bondad.

Puede que la gratitud no cambie tus circunstancias, pero sí te cambia a ti. Te da la capacidad de tener un brillo en tus ojos incluso si tu mundo está en llamas.

Ana fue capaz de encontrar cosas para deleitarse, incluso cuando la vida era muy dura. ¿Y tú? Si no es así, intenta dar más gracias.

¡LA CLAVE PARA DISFRUTAR DE LA VIDA ES... LO ADIVINASTE!

La gratitud no es sólo la clave para tener el espíritu inconquistable de San Pablo, de mis héroes en Haití o de Ana Frank; a un nivel mucho más sencillo, es también la clave para disfrutar de tu vida cotidiana.

Si no tienes gratitud, Dios está desperdiciando sus bendiciones en ti. Algunas de las palabras más duras de las Escrituras no están dirigidas al asesino o al adúltero, sino a los ingratos, al hombre cubierto de bendiciones que parece que no puede disfrutarlas. "Supongamos que alguien tiene cien hijos y vive muchos años, y aunque sus años son numerosos, no puede saciarse de felicidad... entonces yo digo: Más feliz es un aborto..." (Ecl 6,3–4). ¿Lo has entendido? Si es así, hubiese sido mejor que nacieras muerto a que tengas bendiciones, pero no te detienes para disfrutarlas. ¡Ay! Eso es duro.

¿Pero no eres así a veces? La mitad de tu estrés diario proviene de quejarte por hacer malabares con tus muchas bendiciones: tus hijos, administrar tu hogar, planear el tiempo con la familia y los amigos. No tendrías que hacer ninguna de esas cosas si no tuvieras dinero, hijos o libertad de religión.

¡Caigo en el error de estresarme por mis bendiciones todo el tiempo! Todavía estoy aprendiendo contigo. Hace poco fui a hacer "paddleboarding" con mi familia. Tuve un momento de "*desdicha*". El aire acondicionado en mi automóvil dejo de funcionar. Estaba sudando cuando llegué al lago. La bomba de mi tabla de pádel inflable se dañó, así que tuve que hacerlo a mano. Más sudor. Para cuando tuve la tabla inflada, ya estaba maldiciendo al universo. Era un desastre. Al punto me detuve, respiré profundamente y reflexioné sobre mis circunstancias con nuevos ojos. Estaba en un hermoso parque nacional en Colorado, cerca de donde vivo. De hecho, tenía el dinero para comprar un par de tablas de pádel. Tengo hijos sanos cuyos cuerpos son capaces de remar de pie. El aire acondicionado de mi automóvil aparentemente se había descompuesto, pero tengo un automóvil. Empecé a dar gracias a Dios. Eso no arregló mi aire acondicionado ni la bomba de la tabla de pádel, pero sí me arregló a mí.

"¡Además, cuando Dios concede a un hombre riquezas y tesoros, le deja disfrutar de ellos, tomar su porción y holgarse en medio de sus fatigas [tenga en cuenta que la Escritura no pasa por alto el hecho de que la vida tiene un montón de trabajo!], esto sí que es don de Dios. No recordará mucho los días de su vida, mientras Dios le llena de alegría el corazón (Ecl 5,18-19).

¿Quieres estar ocupado con la alegría en tu corazón? Da gracias.

CÓMO HACERLO

Los ideales no significan mucho a menos que se conviertan en práctica. Es por eso que cada regla para vivir la alegría terminará con una sección de "cómo hacerlo". Voy a darte tres consejos prácticos que te harán una persona agradecida, y quiero que te apegues a ellos todos los días. Y son sencillas. Nada en este libro pretende quitarte mucho tiempo o complicar la vida. Pero si quieres que tu vida cambie para mejorar, tienes que ceñirte a ellos.

1. Cuenta tus "agradecimientos" cada mañana.

Cada día, cuando me despierto, mi cuerpo empieza a hacer su trabajo: mantener a Chris con vida. El cortisol aumenta, encendiendo la energía como un interruptor. La insulina entra en acción, preparándome para comer. La aldosterona aparece, y me llevan al baño, para alistarme a correr. La testosterona aumenta, alistándome para luchar en todas las batallas que puedan surgir en el momento en que me despierte. ¡El cavernícola Chris está listo! El cuerpo es una increíble "máquina de supervivencia".

Y a medida que este espectáculo químico de fuegos artificiales químicos se emite en mi cuerpo, mi cerebro se pone en marcha, saltando a todos los desafíos que podría enfrentar en un día determinado. Eso es lo que hace. Es una máquina para resolver problemas. Se sumerge en cada problema, se anticipa cada amenaza y aborda cada tarea pendiente antes de que mis pies toquen el suelo.

¿Alguna vez has notado que cuando te despiertas demasiado temprano, es difícil volverte a dormir? Cada sistema en tu cuerpo de cavernícola se pone en marcha para que te muevas, huyendo del tigre dientes de sable, buscando el siguiente abrevadero y cazando a la próxima ardilla para alimentar a tu familia.

Pero sus sistemas naturales no son tu propio jefe. "Él que está en Cristo es una nueva creación" (2 Corintios 5,17). Somos más que criaturas naturales, impulsadas por procesos naturales.

Esto es lo que hago todos los días cuando me despierto, y quiero que tú hagas lo mismo. Cuando mi cerebro se despierta, antes de que mis ojos se abran, empiezo a dirigir mis pensamientos lejos de mis problemas, de mi lista de tareas pendientes, de las fuentes de noticias y los dirijo hacia mis "agradecimientos". Tomo cautivo cada pensamiento y lo hago obediente a Cristo (véase 2 Cor 10,5). Empiezo a dar gracias. Mi oración no es elocuente en esa hora previa al café.

"Gracias, Señor, por el azul del cielo, por el aliento que acabo de tomar, por el trabajo que podré hacer, por otro día para servirte a ti y a los demás, por los piececitos que ya están corriendo por el pasillo para interrumpir mi oración... porque no lo harán por mucho tiempo. Gracias".

Ese sencillo acto de gratitud reorienta mi mente de estresada a bendecida, de dirigirse a las cosas oscuras a "todo cuanto hay de verdadero, de noble, de justo..." (Fil 4,8). Y piso el suelo listo para ser una alegría para los que me rodean en lugar de un drenaje.

2. Deja que las pruebas "desencadenen" tu gratitud.

Job es el libro más antiguo de la Biblia. Tal vez sea porque el sufrimiento es el desafío más antiguo a la fe que la humanidad ha enfrentado. Job tuvo lo que uno podría llamar un "día terrible, horrible, nada bueno, muy malo". En un solo día, perdió a sus hijos e hijas, a sus sirvientes y ganado. Luego fue afligido con llagas en el cuerpo. Y entonces todos sus amigos empezaron a chismosear sobre él. Hay reflexiones para un libro en las que podemos sumergirnos sobre Job y el problema del dolor, pero guardemos eso para otro libro. Por ahora, quiero centrarme en la primera respuesta de Job a todo lo que le ocurrió.

Justo al comienzo del libro, su respuesta al peor día fue la alabanza. "Entonces Job se levantó, rasgo su manto y se rapo la cabeza [un signo de luto], y postrado en tierra", (Job 1,20). Alabó a Dios por su grandeza. Agradeció a Dios por su vida. "Desnudo salí del seno de mi madre, desnudo allá retornaré. Yahvé dio, Yahvé quitó. Sea bendito el nombre de Yahvé". (Job 1,21). En otras palabras, "Dios no me debe nada, así que todo lo que está por encima de cero, incluido sencillamente el hecho de llegar a existir, es una ocasión de gratitud por parte de una criatura no necesaria como yo". Pero no solo era santo que Job diera gracias; era necesario para que su vida continuara. Verás, el libro de Job termina con innumerables bendiciones y oportunidades que se acumulan sobre él. Él no habría tenido la fuerza para levantarse de las cenizas y tomar esas bendiciones, o el corazón para disfrutarlas, si hubiese decidido no hacer nada en Job 1.

Hace poco conocí a una joven en un evento. Parecía perfectamente sana, pero luchaba intensamente. Ella había tenido un suceso como Job, y su espíritu estaba aplastado. Había tenido un accidente automovilístico y sufría una lesión cerebral traumática. Además de los problemas de concentración y sueño, necesitaba terapia física diariamente para una serie de dolencias derivadas del accidente. Ella se me acercó junto con su madre, y ambas me preguntaron: "¿Por qué Dios permitió que esto sucediera?" Por lo general, respondería con una respuesta teológica a esa pregunta, sobre cómo un Dios amoroso puede dejar que las personas que ama sufran, y cómo eso no es una señal de que nos ha abandonado. Pero me sentí inspirado a tomar un camino diferente porque me di cuenta que esa respuesta no le iba a ayudar. Respondí a su pregunta con otra: "¿Te ayuda esa pregunta?"

La tomó desprevenida. Así que insistí aún más: "En serio, ¿para qué te sirve que sigas preguntándotelo todos los días? Ya tienes la lucha de la fisioterapia diaria, y ¿vas a aumentar esa lucha concentrándote en preguntas agotadoras sobre el significado existencial del sufrimiento? Déjalo ya".

Pude ver como se quitaba un peso de encima. *Creemos* que necesitamos respuestas a todas las preguntas. Nuestro cerebro nos dice que sí. No es así. La reenfoqué en sus bendiciones. "Este accidente no te ocurrió *a* ti. Sucedió *para* ti. Mira lo compasiva que esta lucha te ha hecho hacia los demás. Mira tus hermosos ojos. Puedo ver al mirarlos durante treinta segundos cuánto amor y fuerza tienes. Mira a esta mamá que te ama y ha llegado a demostrarte lo mucho que te apoya. Así que no puedes lograr todo lo que pensabas qué harías, pero la vida es algo más que logros y títulos de trabajo. Lo que eres es un regalo para los demás debido a lo que has vivido. Y tienes que seguir adelante porque otras personas que están luchando necesitan ver que tú puedes, para que sepan que ellos también pueden".

Una sonrisa llena de lágrimas se extendió por su rostro e iluminó la habitación mientras le hablaba.

¿Cuáles son tus pruebas hoy? ¿Cómo respondes? ¿Es con agradecimiento?

Los "desencadenantes" son cosas que causan una respuesta involuntaria. Toca una estufa caliente y tu mano se retirará automáticamente. Algunos acontecimientos de la vida pueden provocar que nos pongamos a la defensiva, que nos enfademos o que tengamos miedo. Pero puedes entrenarte a ti mismo para responder en determinadas direcciones.

Cuando ocurren cosas malas, desde los desencadenantes del tamaño de Job hasta la picadura de un mosquito, generalmente desencadenan una respuesta negativa en nosotros. Pero Job había entrenado su alma para responder desde un principio de una manera diferente. Tú también puedes hacerlo.

Cada vez que estás molesto, quiero desafiarte a que des gracias y alabes a Dios. Cuando estoy en medio del tráfico, nunca te voy a mostrar mi dedo. Mi objetivo es que, si me cierran el paso, ¡voy a levantar los cinco dedos de la mano en señal de alabanza! Cuanto más hagamos esto con las cosas pequeñas, más nos pareceremos a Job cuando (no o si) nos lleguen las grandes pruebas aparecen en nuestro camino.

Tenemos que acostumbrarnos a sustituir las quejas habituales por las alabanzas habituales. He oído decir que Jesús puede convertir el agua en vino, pero no puede convertir tus quejas en nada. Y la gratitud habitual, especialmente ante las pruebas de la vida, es una tarea urgente. Si alguna vez has ido de excursión, puedes ver la senda por dónde corre la lluvia incluso cuando está seco. Pequeños cauces están tallados en la tierra, y se profundizan con cada lluvia, haciendo que su curso sea inevitable. La forma en que piensas forma "cauces" en tu mente. Puedes formar arroyos de lloriqueos o montañas de alegría. Depende de ti.

Romanos 12,2 nos dice que nos transformemos mediante la renovación de nuestra mente. Eso no es fácil, pero puedes hacerlo. Puedes convertirte en una persona agradecida. Nunca es demasiado tarde para cambiar los patrones de pensamiento que has establecido en ti mismo y reemplazarlos con nuevos patrones.

"La gratitud es el primer signo de una criatura pensante y racional".
—Solanus Casey

3. Di "gracias" a menudo durante todo el día.

El pueblo judío tiene oraciones de bendición y de gracias para cada ocasión. La fórmula de la oración comienza con las palabras, *Baruch atah Adonai*, que significa "Bendito eres tú, Señor", y suele ir seguida de "porque (inserta el motivo por el que estás dando gracias)".

Un amigo mío estudió hebreo, y una vez en una peregrinación a Tierra Santa escuchó a un anciano recitar una bendición tradicional que decía: "¡Bendito eres tú, ¡Señor, ¡Dios del Universo, por los agujeros en nuestros cuerpos que se abren y cierran cuando se supone que deben hacerlo!" Se rio a carcajadas y el anciano lo miró y le dijo con una sonrisa: "¡Escucha, cuando tengas mi edad, esa será la oración más apasionada que dirás!"[3]

Todo, por tonto o pequeño que sea, es una ocasión para dar las gracias. Y esto no sólo es el caso con Dios, sino con los demás. "Da gracias por todo" (1 Tes 5,18). Es necesario abrir la boca y decir las palabras "gracias" muchas veces al día.

¡Hazlo en voz alta ahora mismo! Sólo te toma un segundo.

Hacerlo no solo te facilita el hábito de decir "gracias" a menudo. Crea un estado interior de gratitud, un alma energizada por un flujo constante de agradecimientos. Como una rueda hidráulica que genera electricidad a

[3] Me disculpo si encuentras esta ilustración desagradable. Estuve a punto de borrarla, pero la dejé porque es tan maravillosamente "humana" y es un buen recordatorio de las bendiciones de la juventud y la mediana edad que a menudo paso por alto.

medida que se mueve por la corriente de agua que fluye, así es el alma cuando la mente percibe las bendiciones y la boca dice "gracias" a menudo.

Durante su visita en el 2015 a la ciudad de Nueva York, mientras estaba en la Catedral de San Patricio, el Papa Francisco dijo: "Tenemos que preguntarnos, ¿somos [siquiera] capaces de contar nuestras bendiciones [ahora]?" Si no nos tomamos tiempo para contar nuestras bendiciones, nos olvidamos que están ahí. Agradece a la persona detrás del mostrador que acaba de entregarte tu cambio. Agradece a un compañero por su amistad. Da las gracias a tus hijos, por dejarte ser su mamá o papá. Da las gracias a tu cónyuge por haberse casado contigo. Da las gracias a Dios por las pequeñas cosas de cada día.

Deja de pasar por alto tus bendiciones diarias. Tus amigos, tu familia, una buena comida, una bonita puesta de sol, ¡estas son las cosas que nos hacen súper ganadores de la lotería! Asegúrate de cobrar con la palabra mágica: "gracias".

Ahí es donde comienza la gratitud. Y la alegría nunca está lejos.

Regla 2: Practicar el silencio

[Jesús] Pero él se retiraba a los lugares solitarios, donde oraba. —*Lucas 5,16*

EN ESTE CAPÍTULO, discutiremos cómo una cultura de ruido y distracción constante nos ha robado el silencio, y cómo eso no sólo nos roba la alegría, sino que también nos hace desdichados. Exploraremos lo que nos aporta recuperar el silencio interior. Y, por supuesto, cómo conseguirlo.

INTRODUCCIÓN AL SILENCIO

Cuando era adolescente, solía visitar un monasterio de ermitañas en Livingston Manor, Nueva York. Las ermitañas tenían cada una su propia cabaña con su propio sagrario que albergaba a Jesús en la Eucaristía. Su jornada de trabajo y oración estaba estructurada de modo que siempre estaban frente a su Presencia. Incluso sus comidas, que se hacía a solas, eran frente al sagrario.

Una amiga mía pudo hablar con una de las ermitañas, una experiencia poco frecuente, y le preguntó si estaba sola. "¡Oh, no!", dijo. "¡Nunca estoy sola!"

Las ermitañas se reunían para recrearse y podían hablar entre sí un día a la semana. Sus reuniones, me dicen, estaban llenas de alegría. También se reunían diariamente para la oración comunitaria. Tuve la oportunidad de unirme a ellas en la misa menos apresurada a la que he asistido. Nunca he visto rostros más pacíficos que en ese monasterio. Parecían estar en la sima del Monte Sinaí, cubiertas de nubes.

Habían entrado en un silencio con el que la mayoría del mundo sólo puede soñar. Y allí encontraron a Dios. En mis pocos encuentros con ese monasterio, como adolescente que crecía en un mundo cada vez más ruidoso, aprendí que el silencio no es simplemente el arte de callar. Que el silencio no es solo una ausencia de ruido. Es la forma en que nos abrimos a la presencia de *algo más*.

El silencio es el terreno donde crece la alegría, porque te abre a la gratitud, crea el espacio para que florezca la amistad, te permite descansar de verdad y hace posible la oración. Por lo tanto, ¡necesitas el silencio para vivir al menos la mitad de las reglas para una vida alegre!

No es de extrañar que el diablo, siempre en guerra contra tu alegría, haya declarado la guerra al silencio. Exploremos cómo.

La guerra del silencio: serán como dioses

El arma principal del diablo es la tentación. Y la tentación más antigua en su libro de jugadas es nuestro deseo inherente de ser como Dios, pero sin la ayuda de Dios. Puede que no te hayas dado cuenta, pero constantemente te confundes a ti mismo con Dios. Hay una diferencia entre tú y Dios: ¡Dios nunca piensa que Él eres tú! Dicho esto, desde la tentación del hombre en el Paraíso, hemos querido ser Dios. "Seréis como dioses" fue la primera tentación lanzada a la humanidad.

Lamentablemente, tú no interpretas el papel de Dios muy bien. Cuando tratas de ser todopoderoso, terminas siendo un idiota. La gente ha tenido la tentación de reclamar ese atributo de Dios para sí misma desde el inicio de los tiempos. Siempre ha habido dictadores, dominadores y manipuladores.

Pero, por primera vez en la historia, se han generalizado dos nuevas tentaciones de ser como Dios, y el resultado final de ambas es la destrucción casi total del silencio en el alma.

Tentación 1: Lo sabrás todo

Estás tentado a saberlo todo, a estar conectado a toda la información, los flujos de noticias y las personas, todo a la vez. El diablo ya no tiene que tentarte para que te pierdas en el pasado, ya sea por culpa o nostalgia, o para que te pierdas en el futuro, ya sea por miedo o demasiada seguridad de que será mejor que el presente. Hoy en día, puede tentarte a perderte en el *mega-ahora*: "¡Tómalo TODO!"

La tentación de hacer "click" es difícil de resistir, ¿no es así? Queremos saber. Más y más y más y más. Queremos estar "encima" de todo. "Seréis como dioses". Nos da la ilusión de control. Un control como el de los dioses.

En *Los Vengadores: La era de Ultron*, el personaje Visión que se forma a partir de la tierra de los computadores —una especie de encarnación de algoritmos e información— se le pregunta cuál es su nombre y, flotando como una deidad, responde con el nombre bíblico que Dios se da a sí mismo cuando Moisés le pregunta su nombre: "Yo soy". Sin duda, existe una percepción tácita, pero ampliamente extendida, de que la deidad reside en las redes de inter-web que todo lo sabe. Una que nos promete que nosotros también podemos ser como dioses.

Los "millennials", la primera generación que creció con un teléfono inteligente en la mano, tienen una tendencia bien documentada y triste a ignorar lo que piensan las generaciones mayores. Al fin y al cabo, llevan en la mano el "teléfono inteligente" que todo lo sabe. El orbe de todo conocimiento. El dios, Visión. El oráculo de la información. Nadie puede decirles nada, que no pueden encontrar con una búsqueda rápida en Google. Eso crea una cierta actitud en las personas.

En los últimos años se ha desarrollado una nueva técnica de gestión empresarial para el trabajo de los "millennials" llamada "tutoría inversa". Si eres un jefe ya mayor y quieres aconsejar a un empleado más joven, tienes que establecer una relación en la que le pidas consejo para que te escuchen a ti. (Por supuesto, esta generalización no se aplica a todos los "millennials". Muchos son seres humanos estelares y humildes. ¡He criado a unos cuantos! Pero esta tendencia es muy real, y un poco nauseabunda.)

Por supuesto, los humanos fallamos en el *conocerlo todo* tan desgraciadamente como fallamos en el tener *todo el poder*. Cuanto más intentas acaparar la totalidad del momento presente, más terminas perdiéndote TU momento, y el regalo de TU presente, porque lo has llenado con el "ruido" de la información abrumadora. Simplemente no hay silencio en un alma bombardeada con "*inter-webs*".

Tentación 2: Lo harás todo

La otra tentación a la semejanza de Dios que se ha puesto en marcha en los últimos años es nuestro deseo natural de estar al tanto de todas las tareas, todas a la vez. Dios es el único Ser que realmente puede tener éxito en eso. El resto de nosotros en realidad somos pésimos para la multitarea. Sin embargo, nos sentimos constantemente atraídos a intentarlo. El nacimiento del internet nos ha arrastrado a ello a un grado nunca antes experimentado en la historia. Y el "ruido" de la actividad constante mata el silencio en nuestros corazones.

> "El duelo debe ser una concentración; pero para el agnóstico su desolación se extiende por una eternidad impensable. Esto es lo que yo llamo nacer al revés".
> —G. K. Chesterton

Si eres lo suficientemente mayor, recordaras los albores del internet y cómo el correo electrónico se convirtió en la primera forma de conectarse en línea. Recuerdo que un amigo me habló del correo electrónico y pensé: "¿Por qué molestarme en conseguir una dirección de correo electrónico? Nadie que conozco tiene un correo electrónico, así que ¿con quién voy a hablar? Y además, ¿por qué empezar a escribir cartas digitales cuando puedo levantar el teléfono y llamar a cualquiera?" (Y sólo tengo cuarenta y cuatro años. ¡Vaya, cómo el mundo ha cambiado en mi vida!)

En cuestión de semanas, todo el mundo había escogido un nuevo nombre @hotmail o @aol.

Recuerdo que pensé con cada paso adelante en la tecnología, "Esto nos va a hacer mucho más eficientes para que podamos quitarnos el trabajo de encima y tener más tiempo para la vida fuera del trabajo". Y luego recuerdo empezar a ver que cada avance no hizo más que aumentar la carga de trabajo y las expectativas de velocidad de trabajo. E incluso fuera del trabajo, nuestras conexiones personales se han vuelto tan "eficientes" que han hecho que nuestras interacciones sociales produzcan a un ritmo poco agradable, con una expectativa de inmediatez que se siente más como un trabajo que como una amistad. Puede que hagamos más cosas y estemos en contacto con más gente, pero también somos más frenéticos y menos felices.

Nos hemos convertido en un mundo en que desempeñamos multitareas. Escribimos un libro mientras respondemos a los mensajes de texto, mientras nos mantenemos al tanto de las noticias, mientras actualizamos las redes sociales, mientras (inserte su distracción aquí). El problema es que, si bien se espera que todos hagan múltiples tareas durante todo el día, para estar haciendo todo, nadie es realmente bueno en eso.

La idea de que puedes ser bueno en multitareas y enfoque múltiple es un mito. Las investigaciones han demostrado que la mayoría de las personas que se creen fuertes realizando multitareas, en realidad son más distraídas.[1] Se están engañando a sí mismas. Sólo disponemos de un determinado "ancho de banda" mental. Eso significa que cuantas más cosas hagas, menos harás bien cada cosa. Cuantas a más cosas estés enfocado, menos te concentrarás en cada cosa.

¿Estás híper consciente de las noticias? ¿Llevas la carga de pensar que tienes que formarte una opinión sobre todo? Bueno, entonces no eres híper consciente de los sentimientos de tu esposa. Al menos no al mismo tiempo y en el mismo grado. ¿Su hijo adolescente está presente para las notificaciones de su teléfono, haciendo "snapchat" y comiendo de su cena familiar? Entonces no es plenamente consciente de las personas que se sientan a su alrededor, incluso si jura que lo es. ¿Estás pendiente del correo electrónico de tu trabajo en todo momento? Entonces no estás realmente al tanto de nada más. Y cada interrupción mental que permites en tu tren de pensamiento hace descarrilar todo el tren más gravemente de lo que la mayoría de la gente se da cuenta.

Hay algo que los investigadores llaman "residuo de atención".[2] Es lo que ocurre cuando pasas de hacer una

[1] David M. Sanbonmatsu, David L. Strayer, Nathan Medeiros-Ward, and Jason M. Watson, "Who Multi-Tasks and Why? Multi-Tasking Ability, Perceived Multi-Tasking Ability, Impulsivity, and Sensation Seeking," *PLoS One* 8, no. 1 (2013), https://journals.plos.org/plosone/article?id=10.1371/journal.pone.0054402.

[2] Cal Newport, *Deep Work: Rules for Focused Success in a Distracted World* (New York: Grand Central, 2016), 41–44.

cosa a otra. Puedes tardar hasta veinte minutos en concentrarte mentalmente en la nueva actividad, o, después de ese rápido momento de interrupción, para volver completamente a tu línea de pensamiento anterior.

Así que, cuando estás escribiendo, por ejemplo, puede parecer inofensivo dejar entrar la distracción, el "ruido" de tu correo electrónico cada veinte minutos. Pero esa comprobación rápida podría significar que nunca terminas de concentrarte *realmente* en lo que estás escribiendo. Nunca. Y puede parecer inofensivo revisar tu correo electrónico o las redes sociales cada veinte minutos cuando estás con tu familia. Pero eso significa que *nunca* te enfocas realmente en tu familia.

Estoy convencido de que hay genios matemáticos y literarios que solo alcanzan la mitad de su potencial hoy en día, porque siempre están revisando sus teléfonos. Y lo que es más trágico, hay familias que nunca desarrollan realmente sus relaciones entre sí porque mamá y papá revisan los correos electrónicos del trabajo cada treinta minutos, y los niños revisan las redes sociales cada treinta segundos.

El daño del ruido

El creciente problema del ruido

Me imagino que el infierno es un lugar muy ruidoso. El mundo empieza a parecerse cada vez más a él.

La generación iGen, también llamada Gen Z, es la victima cuando se trata del ruido constante, la multitarea constante y el residuo de atención constante. Y los está haciendo desdichados. En realidad, los está volviendo locos.

Un ejemplo, por excelencia, de cómo el internet se está adueñando del ancho de banda mental de los jóvenes es Snap-chat. Es increíble cómo piensan que es una "cosa de adolescentes" cuando, de hecho, está construido por genios del marketing canosos y trajeados. Han ideado algo llamado "racha". Cada día que haces Snapchat con una persona es un día de la racha. Los amigos califican su importancia según la duración de la racha. ¡Una racha de mil días es de gran valor! Pero aquí está el truco: si pierdes un día, tu racha vuelve a cero. Y el pronunciamiento público de la importancia de esa amistad es... cero.

Eso significa que, si los niños tienen que pasar un solo día sin sus teléfonos, entran en pánico. Toda su *existencia* social digital está en juego. Si *tienen que* acampar con papá fuera del área de servicio, pierden todas sus rachas. ¡También podrían morir digitalmente! Los adolescentes suelen prestar sus teléfonos a sus amigos para mantener sus cinco, diez, veinte o treinta rachas.

En resumen, los ejecutivos de Snapchat han encontrado una manera de dar vuelta desde el servicio a las personas y mantenerlas conectadas a la creación de un ejército de adolescentes que soportan el estrés de trabajar para Snapchat, para que puedan aumentar lo que cobran a las personas que quieren comercializar en su plataforma. Es una genialidad. Y horrendo. Y es sólo uno de los innumerables ejemplos.

Agrégale al estrés de las rachas de Snapchat el hecho de que cuando alguien envía a tu hijo adolescente un mensaje en Snapchat, el remitente puede ver que el mensaje fue recibido. Si tu hijo adolescente hace esperar a una chica quince minutos antes de responder a un mensaje, eso se percibe como una grosería. Es como si ella hubiese aparecido en tu mesa para la cena e hizo una pregunta que está siendo ignorada en su cara. (No importa que haya sido descortés de su parte aparecerse en la cena de la familia sin haber sido invitada). Así pues, ese teléfono que debería servir para conectar a la gente ahora te está desconectando de tu hijo adolescente con interrupciones constantes de "robo" de atención en tus conversaciones, pero aún más, se ha convertido en una fuente de ansiedad en el bolsillo de tu hijo adolescente. El teléfono inteligente o "Smartphone" no trabaja para él. Es él quien trabaja para su teléfono. Bastante tonto, en mi opinión. Pero más que tonta, nuestra adicción al teléfono se está volviendo peligrosa.

El impacto del i-ruido constante en nuestra felicidad y salud mental

Si quieres asustarse, lee el libro *iGen* de Jean Twenge, que documenta cuidadosamente el impacto que está teniendo el internet en la actual generación de adolescentes y adultos jóvenes. Entre los estudios citados en el libro se tiene:

- Se hizo un estudio para investigar cuán distraídos están los jóvenes. Se hizo un seguimiento de los computadores portátiles de los estudiantes universitarios y se descubrió que, en promedio, cambiaban de tarea cada diecinueve segundos. Y más del 75% de los estudiantes mantuvo una ventana del computador abierta durante menos de un minuto. Ellos literalmente están perdiendo control sobre los datos.

- Existe una correlación directa entre el aumento del tiempo de pantalla durante el ocio y el aumento de la infelicidad.
- Las tasas de suicidio fueron un 46% más altas en el 2015 que en el 2007, el año en que se lanzó el primer iPhone.
- Cuanto más tiempo pasan las personas "conectadas" a Internet, menos tiempo tienen para una relación cara a cara, y son más solitarios y menos felices. (Incluso permanecen conectados en línea cuando están físicamente entre sí. Si has estado cerca de adolescentes, habrás visto cómo se reúnen, cada uno concentrado en su propio teléfono. Supongo que es más fácil que el silencio incómodo y el duro trabajo de hacer amigos. Pero les hace sentirse solos).
- Un estudio danés realizado con casi dos mil jóvenes a los que se les expulsó de Facebook durante una semana, encontró que el 36% se sentían solos, el 33% decían estar deprimidos y el 9%, en solo una semana, dijeron que eran más felices.
- Otro estudio encontró que los estudiantes de octavo grado que usan fuertemente las redes sociales, manteniendo todos los demás factores iguales, aumentan su riesgo de depresión en un 27%.
- Y en 2016, por primera vez, más de la mitad de los estudiantes universitarios de primer año

describieron su propia salud mental como inferior a la media.[3]

Somos la generación más bombardeada por el ruido de la historia, y se nos está robando literalmente la cordura... por no hablar de la alegría.

No estoy diciendo que la tecnología sea del todo mala, o que sea la única razón de la caída en picada de nuestra felicidad. La utilizo regularmente para mi ministerio. Pero es como el alcohol, y tenemos que empezar a tratarla como tal. Es una bendición mixta que, si no se mantiene a raya, tiende a tomar el control de nosotros y convertirse en una maldición.

VALE LA PENA LUCHAR POR EL SILENCIO: ESTO ES LO QUE TE DA

Una vez más, el silencio es mucho más que una ausencia de sonido. El silencio nos abre a la presencia de algo hermoso. El silencio es el suelo donde crece la alegría. Esto es lo que te da el silencio: ¡seis cosas que son tan valiosas y hacen que la vida sea mucho mejor, por lo que necesitamos dedicar unas cuantas páginas a recapacitar en ellas!

1. Silencio y sustancia

El silencio es la fuente de nuestro trabajo más significativo. Las cartas más edificantes de Pablo fueron escritas

[3] Jean M. Twenge, *iGen: Why Today's Super-Connected Kids Are Growing Up Less Rebellious, More Tolerant, Less Happy—and Completely Unprepared for Adulthood* (New York: Atria Books, 2017).

mientras su alma aventurera estaba encerrada en su propia "cuarentena" personal de arresto domiciliario durante dos años. El camino de Moisés, David, Elías y Juan el Bautista para lograr un impacto en el mundo transitó claramente a través del silencio del desierto.

Resulta que no tenemos mucho que decir de importancia, hasta que no aprendemos a escuchar. Jesús también pasó por la tranquilidad de cuarenta días y cuarenta noches en el desierto antes de lanzarse de lleno a su ministerio público para abrirnos un camino.

Las personas de "ruido" constante pueden tener mucho que decir, pero no mucho que valga la pena recordar. Ninguno de los millones de horas y miles de millones de palabras que la humanidad pase escribiendo en Twitter en 2021 será leída como un clásico por los escolares del 3021.

2. Silencio y maravilla

G. K. Chesterton decía que el mundo está seco, no por falta de maravillas, sino por falta de asombro.

Damos todo por sentado cuando nos acostumbramos a ello. Antes nos asombraban las cosas más modestas. Los microondas eran una maravilla. Ahora tardan demasiado. Los teléfonos celulares retaron mi cerebro. Ahora estoy enojado cuando se cae una llamada mientras hablo con un amigo desde Tel Aviv, al otro lado del mundo. Mis primeros vuelos me dejaron boquiabierto. Ahora me inquieto si el vuelo se tarda más de cuatro horas en ir de Denver a Nueva York, un viaje que, no hace mucho tiempo, habría durado meses, y habría tenido que enterrar a la abuela en el camino.

También lo hacemos entre nosotros. Las parejas casadas se asombraban antes por regalo que suponía el uno para el otro. Añada los años, los hijos y las facturas, y el trabajo duro que toma, y esto lo subestimamos. Nos irritamos con los otros por las cosas más estúpidas. Podemos estar tan cerca que pasamos por alto la presencia real de los más cercanos y nos sentimos solos. Los niños hacen esto con sus padres. ¡Lo sé, es difícil de entender, pero hay adolescentes que en realidad que no valoran a sus padres! (¿Estás entendiendo mi sarcasmo?)

> "La alabanza debería ser la pulsación permanente del alma". —G. K. Chesterton

Y a medida que vivimos, pasando por alto todas nuestras mayores bendiciones, nos aburrimos, porque nos convertimos en aburridos.

La reverencia, dijo el gran filósofo Dietrich von Hildebrand, es dar un paso atrás y dejar que el "otro" se desarrolle ante ti.[4] Cuando llenas al otro con tu ruido interior, con tus presunciones, con tus palabras, y cuando vives en un estado constante de distracción, en realidad no ves en lo absoluto a los demás.

La reverencia es el silencio que crea un espacio entre tú y el mundo que te rodea –espacio para que el mundo *sea*– para que puedas contemplarlo todo con ojos nuevos y decir una vez más, "¡Vaya es un arco iris doble! (o inserta aquí tu maravilla diaria)".

[4] Dietrich von Hildebrand, *The Art of Living* (Steubenville, OH: Hildebrand Press, 2017). Para más información de von Hildebrand, visite www. hildebrandproject.org.

3. Silencio y gratitud

El silencio conduce a la reverencia. La reverencia lleva a la maravilla y al asombro. La maravilla y el asombro conducen a la gratitud. La gratitud conduce a la alegría.

Y así, la verdadera gratitud crece en el suelo del silencio. Pero también termina en reverencia silenciosa. La gratitud puede ser sin palabras. Si bien es importante "contar tus agradecimientos" en voz alta, la gratitud no se trata solo de enumerar las cosas por las que estás agradecido. En un nivel más profundo, es un estado de ánimo y del corazón. Es una disposición que se extiende a cada momento del día, en el que dejas que la realidad agite tu alma, y tu alma se deleita en ella, deleitándose con el don y, en última instancia, con el Dador que te ama. Pero ese nivel de gratitud sólo es posible en el corazón tranquilo.

Todos hemos experimentado excitación. Está en el aceleramiento de una montaña rusa (que es más "diversión" que "alegría"), luego está la excitación de montar una ola, que se acerca a la alegría real, pero luego está la profunda satisfacción, la alegría tranquila de un nuevo padre sosteniendo a su bebé. Yo lo llamo la "burbuja del nuevo bebé". No es la excitación de la ola, sino de las profundidades más profundas del océano. El verdadero cambio en ese momento, no es solo la adición de un nuevo bebé. Es la nueva capacidad de los padres para sentarse y mirar fijamente el regalo de la vida y acallar su mente, porque ahora están mirando algo tan pequeño pero que se eleva por encima de todo lo que podría distraerla.

Un arroyo poco profundo es ruidoso. El Mississippi no hace ruido. Es más profundo. Corre en silencio. Así es con la más profunda gratitud.

Y, si quieres entrar en una gratitud más profunda que nunca, necesitas un silencio más profundo.

4. El silencio y tus sueños

El silencio es el espacio donde crecen los sueños. Mi matrimonio nació en silencio.

El verano después de mi primer año de universidad, estuve en una boda familiar en junio en Virginia Occidental. Al día siguiente de esa boda, me invadió el deseo de llegar a mi universidad en Steubenville, Ohio, para la misa. Era domingo de Pentecostés. Le pedí a mi papá que me llevara. ¿Habría sentido ese deseo si me despertara como un joven de hoy y me pasara toda la mañana navegando por las redes sociales? Probablemente no.

Vi a mi amiga Natalie en esa misa. Después, me acerqué a ella y a un puñado de amigos que estaban hablando con ella. A mí me pareció que todos la miraban, sentada en el centro. Había una luz que venía de ella en mi memoria. Ella era increíble. Pensé, "Todos deben verla". Es por eso que se quedan mirándola. Le di un abrazo y me sentí como en familia. Sin pensarlo mucho, le dije: "te quiero", y ella respondió: "te quiero a ti también".

Luego me olvidé del encuentro y seguí con mi verano. Por suerte para mí, ella no lo hizo.

Hizo un largo viaje en su automóvil por todo el país. Durante los cientos de kilómetros de silencio sin radio satelital XM, sin podcasts, sin distracciones telefónicas, y ni siquiera un radio FM en los desiertos de Utah, todo lo que le quedó fue el sonido silencioso de las ruedas en la autopista y sus pensamientos.

Reflexionó sobre su vida y lo que buscaba en un hombre. Me consideró a mí. Cuando ambos llegamos al campus en el siguiente otoño, ¡ella estaba de caza! Me tomó semanas darme cuenta de lo que estaba sucediendo porque pensaba que ella estaba muy lejos de mi mundo, pero ¡me sorprendí y alegré cuando lo hice!

¿Habría crecido su sueño de nuestra vida juntos si hubiera disfrutado de un viaje ruidoso y lleno de medios por todo el país? ¿Existirían mis seis hijos? Honestamente, probablemente no.

Me pregunto cuántas personas pierden hoy en día sus vocaciones por culpa del ruido. Me pregunto cuántos sueños nunca se les da permiso para crecer. Y cuántas jóvenes hermosas pasan al lado de hombres jóvenes y buenos, pero ambos están demasiado enterrados en sus teléfonos para darse cuenta del otro. Me pregunto cuántas vocaciones y sueños nunca llegan a realizarse porque nunca comenzaron. Tan pronto como el silencio se instala donde los sueños podrían echar raíces, es arrebatado por el ruido. Después de todo, ¡Tienes que mantenerte al tanto de tu Instagram!

5. Silencio y descanso

Innumerables estudios registran que el descanso es necesario para la productividad. Tu cerebro incluso trabaja resolviendo problemas de trabajo cuando te alejas de ellos. Si sientes que nunca dejas de trabajar, la calidad de tu trabajo caerá en picada.[5] Y si nunca dejas de lado tu teléfono, nunca dejas de trabajar. Las vibraciones, los timbres, y las interrupciones nunca cesan realmente.

6. Silencio y amistad

El silencio crea un espacio donde ciertamente puedes ser receptivo a otra persona. Sin esa receptividad, no hay verdadera amistad. Los amigos que hablan y nunca escuchan verdaderamente no son amigos. Los amigos que están perpetuamente distraídos en la presencia del otro no son realmente amigos. ¿Cómo podrían serlo?

CÓMO HACERLO

1. Parar. Respirar. Pensar.

Hay muchas coincidencias en el ascetismo budista y cristiano. Los monjes budistas y los monjes trapenses católicos hacen muchas de las mismas cosas cada día. La forma significativa en que no se coincide, es que la espiritualidad cristiana está dirigida a la autorrealización. Te conviertes en alguien más completo, más plenamente vivo, a través de una inmersión en el amor que es Dios. La espiritualidad budista está dirigida a la iluminación a través de la auto-negación. Eso no quiere decir que no

[5] Alex Soojung-Kim Pang, "How Resting More Can Boost Your Productivity," *Greater Good Magazine*, May 11, 2017, https://greatergood.berkeley.edu/article/item/how_resting_more_can_boost_your_productivity.

valoren el amor y la compasión, pero el objetivo final no es estar completamente vivos, tú plenamente, sino más bien, dejar ir el yo, lo que ellos llaman una ilusión. Obviamente, soy cristiano. Pero eso no significa que no haya nada que aprender de los monjes budistas, por quienes tengo un enorme respeto.

Los budistas tienen algo llamado "atención plena" en el corazón de su meditación. La atención plena consiste en estar presente en el momento y ocuparse con el aquí y ahora. La atención plena es el antídoto contra la distracción.

Hay una famosa escuela budista y un centro de retiros que tiene una "sala de la lluvia". Es un lugar al que simplemente se puede ir, sentarse en silencio y escuchar el sonido de la lluvia.[6] Como padre con una casa llena de niños y mascotas, eso suena embriagadoramente pacífico. Qué bonito, dedicar todo un espacio a simplemente sentarse y prestar atención a algo que generalmente pasamos por alto.

Dicho esto, no tengo que ir a un monasterio en el Tíbet para conseguirlo. Tampoco tengo que construir un espacio para ello. Puedo elegir sentarme tranquilamente y disfrutar de las cosas sencillas de la vida, a mí alrededor, dondequiera que esté. La santidad y la felicidad están justo delante de mi nariz porque la realidad está ahí. Todo lo que necesito para tomarlas es un poco de quietud silenciosa. Un poco de atención plena.

¿Dónde puede conseguirlo? ¿Por qué no justo donde estás?

[6] Thich Nhat Hanh, *El arte de vivir* (Barcelona, Ediciones Urano, 2018), 8.

El océano, con todo su ruido, siempre me ha ayudado a lograr el silencio interior. También me ayuda a concentrarme mejor en mi familia. Eso es porque me ayuda a estar menos distraído. Me ayuda a sumergirme en el momento. Con el tiempo, he aprendido que no es el océano, es mi estado de ánimo cuando estoy en el océano. No estoy nadando en mis propios pensamientos cuando estoy en la playa. Estoy viendo las olas. Esa es mi sala de lluvia. Soy "consciente". Pero no es el océano. Es la tranquilidad interior. Soy yo.

No tengo que ir a Hawái para conseguir lo que me hace feliz cuando estoy allí. No tienes que ir a tu lugar favorito para estar más presente en la vida que te rodea. Solo tienes que practicar el silencio.

Piensa en ti mismo en tu lugar más feliz. ¿Es el lugar lo que te hace feliz o algo diferente en ti cuando estás en ese lugar? Te garantizo que una gran parte de lo que te hace feliz (insertar tu lugar favorito aquí) es el hecho de que no estás buscando ir a ningún otro lugar. ¡Ya has llegado! Pues bien, ¿qué esperas? ¿Por qué no te sientas con los ojos cerrados, respiras profundamente y decide "he llegado" la próxima vez que llueva? Abre tu ventana y dedícate tres minutos para no hacer nada más que escucharla. O acuéstate en el piso, mira el ventilador del techo y descansa solo un minuto en silencio. Estés donde estés, ahí es donde estás.

No tenemos que ir al desierto durante cuarenta días y cuarenta noches para encontrar el sosiego. Nuestro Señor hizo eso una vez, pero luego regresó a ese lugar de quietud interior en muchos momentos a lo largo de su vida. A menudo pienso en San Juan Pablo II, quien llevó una de las vidas más ocupadas que una persona podría vivir. Con frecuencia él se arrodillaba en una intensa oración o empuñaba su báculo y cruz papal, con los ojos bien cerrados, incluso durante una audiencia pública. Él se aferraba a un momento en silencio interior con nuestro Señor antes de hablarnos.

Literalmente, sólo sesenta segundos pueden tener un impacto radical en tu espíritu. También tiene un impacto radical en tu oración. Antes de orar, aquieta tu mente, deja ir las distracciones, respira profundo y guarda silencio. Entonces habla con Dios desde ese espacio de silencio que acabas de crear. O habla con Dios continuando en ese silencio. No digas muchas palabras. Solo sé tú. Una de mis oraciones favoritas es mirar fijamente mi Cruz de San Damián y respirar "Jesús" y exhalar "Misericordia" durante diez o quince minutos.

Para. Respira. Piensa.

Cuando no estés en paz. Cuando precises tomar una decisión difícil. Cuando sea el momento de orar. Cuando quieres centrarte en la persona con la que estás. Date un minuto. A veces eso es realmente todo lo que hace falta para que la siguiente hora, y tu vida, valga más la pena.

2. Pon límites a tu tiempo de pantalla.

El adolescente estadounidense promedio pasa más de siete horas al día frente a una pantalla, sin incluir las tareas escolares.[7] El adulto promedio consume cinco

[7] Rachel Siegel, "Tweens, Teens and Screens: The Average Time Kids Spend Watching Online Videos Has Doubled in 4 Years," *Washington Post*, October 29, 2019, https://www.washingtonpost.com/technology/2019/10/29/survey-average-time-young-people-spend-watching-videos-mostly-youtube-has-doubled-since/.

veces más información (la mayor parte de ella, con noticias rápidas y pasajeras, no información enriquecedora e inspiradora) que su equivalente hace cincuenta años.[8] Y la mayor parte de nuestro tiempo que pasamos frente a una pantalla consiste en solo unos segundos en una cosa antes de saltar a otra. Durante horas cada día. Ahora mismo estoy suplicando en nombre de tu cerebro: *Por favor, dame un descanso. Estoy cansado.*

Tu concentración mental es como un músculo. El cerebro humano quema más de trescientas calorías por día. Eso es el 20% de la energía de tu cuerpo. Y cuanto más piensas, más quema. Y como cualquier órgano, tu cerebro puede cansarse. Dale un alivio del bombardeo de estímulos y ruido.

Irónicamente, una de las razones por las que navegamos en nuestros teléfonos es porque la información es la fruta más fácil de agarrar para nuestros cerebros escudriñadores. El problema es que, cuando no nos detenemos, nuestros cerebros nunca descansan.

No hay que sobrecargar los músculos. Si no tienen un descanso entre los entrenamientos, no se fortalecerán. Tus músculos se estropearán. A tu cerebro le ocurre lo mismo. Tu capacidad de concentración se rompe cuando te acostumbras a desplazarte por las imágenes, a ojear las páginas durante horas cada día.

El impacto del tiempo frente a la pantalla en nuestra capacidad de pensar es más visible en los niños. Un

[8] Nicole Fisher, "How Much Time Americans Spend in Front of Screens Will Terrify You," *Forbes*, January 24, 2019, https://www. forbes.com /sites/nicolefisher/2019/01/24/how-much-time-americans-spend-in -front-of-screens-will-terrify-you/#516fb7a1c67a.

estudio con 4,500 mostró que los niños criados con menos tiempo frente a la pantalla y más sueño y ejercicio tenían mayores capacidades cognitivas. No sólo sabían más; sino que podían pensar con más claridad. Lamentablemente, pero no por ello sorprendente, el estudio tuvo dificultades para encontrar a los niños que pasaban menos de dos horas al día "enchufados" a sus dispositivos. Sólo el 5 por ciento cumplió ese criterio.[9]

Tómate un descanso.

Quiero desafiarte a que descanses tu mente de las pantallas durante un día a la semana. Hazlo el domingo. Si eso suena demasiado desalentador, entonces simplemente haz que todos pongan sus teléfonos en una canasta hasta la puesta del sol el domingo. Infórmale a los amigos que están acostumbrados a tus respuestas instantáneas que no las esperen durante ese tiempo.

A veces, eso es todo lo que se necesita para romper la "adicción al teléfono" en tu familia. (Google "adicción al teléfono" y encontrarás un número creciente de estudios psicológicos sobre esta realidad y su impacto). Y te sorprenderás de cómo tu mente y tu estado de ánimo cambian como resultado.

Además de un descanso más largo cada domingo, ¡hazlo a diario! Recientemente hice una encuesta a mis seguidores de Twitter preguntando si el tiempo en Twitter les hace más alegres o menos. El 86 % dijo que menos. Y, sin embargo, ¡ahí estaban, en Twitter, para responder

[9] Dennis Thompson, "Can Too Much Screen Time Dumb Down Your Kid?," *HealthDay*, September 26, 2018, https://consumer.healthday.com/general-health-information-16/media-health-news-760/can-too-much-screen-time-dumb-down-your-kid-738063.html.

a mi encuesta! No estoy seguro de por qué pasamos tanto tiempo centrándonos en cosas que nos hacen infelices, participando en conversaciones que nos arrastran hacia abajo, o en los medios que nos hacen miserables. Pero estoy seguro de que tenemos que ser intencionales a la hora de limitar nuestro tiempo en esas cosas.

Comprométete a reducir las redes sociales a una hora al día, y como cualquier adicto, encuentra un amigo que te haga responsable. Comparte con él o ella tus informes diarios de tiempo de pantalla

Elije las horas, como la cena, cuando los teléfonos se deben dejar a un lado y silenciarse. Y deja tu trabajo a un lado cada día después de una hora determinada. Cuando dejes de trabajar cada día, traza una línea clara entre el tiempo de trabajo y el tiempo de descanso. Yo dejo mi teléfono, extiendo los brazos como si hubiera cruzado una línea fina y digo en voz alta (aunque nadie me escuche): "Trabajo. Hecho". Y lo digo con convicción. No dejo que el ruido de la distracción dure todo el día.

Por último, si parece que no puedes superar tu adicción al teléfono y hacerlo a un lado, aquí hay otro truco de vida que podría ayudarte: En la mayoría de los teléfonos hay algo llamado "tiempo de inactividad". Puedes programar tus tiempos de inactividad para que no puedas consultar las aplicaciones que selecciones durante ciertos momentos del día. ¡Sé tu propio padre! Pon algunos límites en tu propio tiempo de pantalla.

3. Abúrrete.

Concédete el espacio para pensar: "¿Y ahora qué?" Y si no se te ocurre una respuesta, no hagas nada. ¿Estás haciendo fila en el supermercado? Entonces haz lo que hacíamos en los noventa. Permanece ahí y mira a tu alrededor. Mantén tus pensamientos. Sumérgete en un momento de tranquilidad mental. Te alimentarás del aburrimiento. Parecerás contracultural. Siéntete cómodo con eso. Lo superarás y serás mejor para eso.

4. Camina.

Los psicólogos han descubierto que estar en la naturaleza es el descanso perfecto que tu cerebro necesita para entrar en un estado de silencio y atención. Un pequeño paseo al aire libre es lo suficientemente estimulante como para evitar que la mente deambule en un millón de direcciones y lo suficientemente relajante como para quitarle tensión al día.[10] ¡Encontraron que esto es cierto incluso en climas fríos poco agradables! Haz que una caminata tranquila forme parte de tu rutina diaria, aunque sólo sea por cinco o diez minutos al día.

Jesús dijo de Juan el Bautista: "¿Qué saliste a ver al desierto?" (Mateo 11,7). Él sabía la respuesta. Cuando te decides a perder tu enfoque constante en las cosas pasajeras, encuentras todo lo que es más importante.

SÓLO HAZLO

Todos estos consejos son sencillos. Así que hazlos. Estoy hastiado de que la personas no sean tan felices como se supone que deben ser, tan centrados y presentes en

[10] Newport, *Deep Work*, 187–189.

la vida como se supone que deben ser, tan agradecidos como se supone que deben ser, porque no hacen las pequeñas cosas que se requieren para mantenerse en línea. Maneja tu objetivo. Lucha por el silencio para que así puedas empezar a vivir la vida para la que estás hecho. Tú puedes hacerlo.

Regla 3: Ámate a ti mismo

Amarás a tu prójimo como a ti mismo.
—Marcos 12,31

JESÚS, que nos enseñó todo para compartir su gozo con nosotros (Juan 15,11), mandó que amáramos a los demás como a nosotros mismos (Marcos 12,31). Presumía que sus seguidores se amaban a sí mismos. Ese es el prerrequisito para amar a los demás, recibir amor y vivir la vida cristiana. Es el prerrequisito para la alegría. En la Regla 3, vamos a profundizar exactamente en cómo amarse a sí mismo y cómo vencer la mentira de que no se es digno de ser amado.

AMOR Y ALEGRÍA

Un niño que se siente amado aborda la vida con una alegría inquebrantable. Cuando es pequeño, siempre está sonriendo. Cuando está en la escuela secundaria, los conflictos de la preadolescencia no ponen todo su mundo patas arriba porque puede volver a casa, a un lugar de estabilidad y aceptación. Cuando se convierte en un joven que sigue sintiendo ese amor a sus espaldas, se lanza a la vida sin demasiado miedo al fracaso, porque sabe que, triunfe o fracase, es amado de todos modos.

El amor es la mayor fuente de la alegría, la confianza y el poder. Y no hay ninguna cosmovisión que se preste a la idea de que eres amado más que el cristianismo. *Dios murió por ti.* Por mucho que lo intentes, simplemente no puedes "superar" eso. Y debido a ese amor infinito, no hay una visión del mundo que se preste más profundamente a la alegría. Nos sumergiremos más en eso en la Regla 9, pero para la Regla 3, el prerrequisito para aceptar esa realidad, y enfrentar la vida con la alegría y la confianza que te da, es amarte a ti mismo.

Sencillamente, no puedes ser alegre si no crees que eres amado. Y no puedes dejarte amar si no crees que eres apreciable. Cuando un niño comienza a pensar que no es amado, no importa cuánto amor expresen mamá y papá. Cae como la lluvia en un terreno duro y rocoso.

Para ser bueno en recibir amor y la alegría que eso proporciona, tienes que (1) verte a ti mismo como amoroso, y luego (2) ser bueno en amarte a ti mismo de manera concreta cada día.

1. Mírate a ti mismo como adorable.

Eres increíble

Advertencia de herejía: Los santos (tanto con S mayúscula como con s minúscula: es decir, los santos como

Francisco y los santos como tu abuela) embellecen el cielo y la tierra. En cierto sentido, eso es una herejía porque no se puede añadir nada a la belleza y la gloria de Dios. No se puede añadir nada a Dios en absoluto. Él no nos creó porque nos necesita. Los amantes pueden decirse el uno al otro: "Tú me completas". Dios no te dice eso. Él te completa, pero no necesita que lo completes.

Sin embargo, la razón por la que no es una herejía es porque Dios eligió hacerlo de esta manera. Él eligió "necesitarnos". Dios escogió dejarnos "agregar" a su gloria.

Una forma de pensar acerca de cómo contribuimos a la gloria de Dios, la belleza del cielo, y la belleza de este mundo, es un vitral. No se puede agregar nada a la luz brillante y ardiente del sol. Todos los colores ya están en cada rayo perfecto que calienta todo el sistema solar. Estamos a unos ciento cincuenta millones de kilómetros de distancia del sol, y sin embargo las flores más pequeñas inclinan sus tallos para tomar sus rayos. Nos montáramos en la Nave Enterprise (sí, soy un nerd) y nos alejáramos cincuenta y ocho años luz, seguiríamos viéndolo brillar en el cielo nocturno.

> "Estad siempre alegres."
> —1 Tesalonicenses 5,16

Sin embargo, a pesar de todo su esplendor y poder, si pones vitrales frente a los rayos del sol, todo se vuelve más hermoso. Eso somos tú y yo. Esos son los santos en la gloria del cielo. Cada uno de nosotros es golpeado por la luz que es Dios—la luz de la Existencia—y así llegamos a existir, pero más, llegamos a brillar esa luz de nuestra propia e irrepetible forma.

Como el rayo de luz puro que golpea los vitrales, o un cristal que refracta la luz, cada uno de nosotros llena la atmósfera de una forma que la hace más bella de lo que habría sido sin nosotros. Y no estoy hablando solo de lo que "hacemos" y "contribuimos" aquí en la tierra, por importante que sea. Me refiero a lo que somos y lo que agregamos a la belleza y gloria del cielo, simplemente por estar allí y estar cerca de la fuente del Ser para siempre.

De "Hombre pecador" a "Piedra"

El diablo odia ese pensamiento. De hecho, le aterroriza. Por eso es que el diablo trabaja duro toda tu vida para que lo olvides y para cegarte a la forma en que Dios quiere que tú, y sólo tú, lo glorifiques para siempre.

El diablo quiere que te veas a ti mismo y te etiquetes a ti mismo de una manera que se oponga directamente al gran plan de Dios para tu alma.

Este fue ciertamente el caso de San Pedro. Simón, como se llamaba antes de conocer a Jesús, no "lo tenía todo junto". Eso está bien, porque ninguno de nosotros lo tiene. Lo que no está bien es que Simón percibiera su propio ser de esta manera. Su identidad, su dignidad y su propio nombre estaban, en su mente, resumidos por sus defectos. En su primer encuentro con Jesús, éste estaba predicando a una multitud cercana a Simón. La Escritura relata que Simón estaba remendando sus redes. En otras palabras, no tenía tiempo para el predicador y hacedor de milagros. Eso era para esa gente, y él no era una de esas personas. No eligió a Jesús. Pero Jesús lo eligió a él.

Imagina lo asustado que debió estar Simón cuando Jesús se acercó a él, interrumpió su trabajo y se subió a su barca para empezar a predicar a la multitud ¿No se dio cuenta de que Simón no era parte de la multitud de Jesús? Sin embargo, mientras sus pies divinos estaban en esa barca maloliente y llena de peces que Simón aún no tenía tiempo de limpiar, algo en Jesús y sus poderosas palabras capturaron el corazón de Simón.

Cuando la multitud comenzó a alejarse, Jesús dirigió su atención al dueño de la barca a la que no había sido invitado. Le dijo a Simón: "Rema mar adentro y echa tus redes". "Señor", replicó Simón, "hemos estado toda la noche, cuando los peces son capturados, y no hemos pescado mucho. Pero si tú lo dices, lo haré".

Remó en silencio, echo las redes y ocurrió un milagro. Sintió un pequeño tirón. Luego uno más grande. Luego comenzó a tirar de las redes con todas sus fuerzas y, a medida que se acercaban a la superficie, todo lo que se podía ver eran los cuerpos plateados de peces agitándose locamente. Y seguían saltando más a medida que él tiraba de las redes. Al final, estaban tan llenos que casi se hunde la barca.

Miró a Jesús. Jesús ya le miraba con una sonrisa; sus ojos, llenos de esperanza y amor, lo decían todo.

Oh... oh.

Simón podía ver la expectativa en los ojos de Jesús. Podía sentir que la invitación venía. ¡Esto era demasiado! ¿No sabía Jesús que hay una razón por la que Simón estaba arreglando sus redes en lugar de escucharlo predicar? ¡Mira! Simón no podía soportar más. Así que, antes de que Jesús pudiera decir una palabra, Simón lo impidió.

Cayó de rodillas en aquella barca llena de peces y dijo: "Aléjate de mí, Señor. Soy un hombre pecador".

Respiró aliviado. Por fin lo sabe. Uy. Ahora tal vez me deje en paz.

Jesús no se asustó. Se inclinó, su sonrisa aumentó. "Ven y sígueme. Te haré pescador de hombres". Simón se había definido a sí mismo como un "hombre pecador". Jesús tenía un nuevo nombre en mente para él.[1]

Jesús llevó a Simón y sus apóstoles en un largo viaje desde Galilea a Cesarea de Filipo, una antigua ciudad pagana en la frontera actual entre Israel y el Líbano. Yo guío una peregrinación anual a Tierra Santa, así que he hecho el viaje antes, pero en la comodidad de un autobús con aire acondicionado. Es una larga caminata por carreteras sinuosas a través de un terreno muy accidentado y montañoso. Debe haber sido un viaje agotador. Pero Jesús pensó que valía la pena el largo viaje porque era el escenario perfecto para una conversación muy importante. Hay un enorme acantilado de roca sólida que se cierne sobre esa antigua ciudad, y Jesús no quería que Simón olvidara esa imagen mientras viviera.

Allí, frente a la enorme losa de piedra que eclipsaba la ciudad, Jesús cambió su nombre de Simón a Pedro, que significa "Piedra".

Jesús quería que esa imagen se grabara en su mente: No pequeñas piedrecillas, sino la imagen de la estabilidad misma. Quería que Pedro pensara en eso cada vez que la gente dijera su nombre. "¡Buenos días usted, Piedra sólida!" "Piedra, ¿puedes pasar el pescado?" Jesús sabía que la autopercepción determina la acción, y necesitaba

[1] Obviamente, llené algunos detalles. La versión completa de las Escrituras de la historia está en Lucas 5.

que Pedro actuara como un líder sólido, como una roca para su Iglesia. Necesitaba el nuevo nombre de Pedro para contrarrestar el viejo nombre que el diablo había creado para él, y necesitaba que recordara ese nuevo nombre una y otra vez y otra vez.

Reclama tu verdadera identidad en Cristo

A menudo, nuestra propia imagen negativa de nosotros mismos se opone directamente el llamado de Dios en nuestras vidas. Dios necesitaba que Pedro fuera una roca. Así es como debía servir a Dios de forma única en la tierra y glorificarlo para siempre en el cielo. Es precisamente por eso que el diablo trabajó toda su vida para que Pedro se viera a sí mismo como inservible e inestable, como un "hombre pecador".

Por supuesto, Pedro tenía defectos y debilidades que persistieron a lo largo de su vida, y tuvo que arrepentirse y trabajar en ellos, al igual que nosotros. Pero Jesús le enseñó que él era más que eso. Esa no iba a ser la suma de su autopercepción. Después de conocer a Jesús, un "hombre pecador" ya no era su calificativo.

¿Cómo te has llamado erróneamente a ti mismo? Esto es algo con lo que todos luchamos, en un grado u otro, y la mayoría de la gente ni siquiera es consciente de ello.

Una mujer se me acercó después de uno de mis eventos con lágrimas en los ojos y me dijo: "Chris, he tenido doce abortos espontáneos, y durante años he llevado conmigo la mentira de que estaba maldita, y ni siquiera sabía que me estaba haciendo eso a mí misma. ¡Esta noche, reclamo la verdad de que soy una hija amada de Dios!"

Dos cosas me sorprenden de lo que dijo: Primero, que se decía a sí misma que estaba maldita. ¡Nos decimos a nosotros mismos cosas que son tan horribles que nunca se las diríamos a nuestros peores enemigos! Segundo, que ella no sabía que estaba haciendo eso.

Con demasiada frecuencia, vamos por la vida pensando, pero sin pensar en lo que estamos pensando. ¡Es hora de espabilar ese juego de la cabeza, amigos míos! Tu *alegría* está en juego. ¡Está en juego el llegar a ser lo que Dios hizo que fueras! Si hay una guerra entre el cielo y el infierno, el frente de batalla está en medio de tus oídos, y la batalla principal es acerca de cómo te estás viendo a ti mismo.

Quita la pluma de la mano del diablo. Es un gran guionista. Devuélvesela a Dios todopoderoso. San Pablo nos dice: "... reducimos a cautiverio todo entendimiento para obediencia de Cristo" (2 Corintios 10,5). Y escucha "... ha sido arrojado el acusador de nuestros hermanos" (Apocalipsis 12,10). Combátelo renunciando a la mentira que crees sobre ti mismo y reclamando la verdad que se opone directamente a esa mentira.

¿Te has enfrentado a la sensación de inseguridad? Jesús te pone una corona en la cabeza y dice: "Tu nuevo nombre es Rey o Reina".

¿Te sientes sucio? Él está a tu lado ante el pozo de agua más limpia y azul imaginable, y te nombra "Puro".

¿Te sientes impotente? "¡He aquí al poderoso tigre! ¡Ese eres tú!".

¿Ansioso y fuera de control? "¡Tú eres la Roca!"

Seguro, tienes defectos, pero no resumen quién eres. Has sufrido reveses, pero esas son páginas de tu vida, no toda la historia. Tienes heridas y debilidades, pero esas no te definen. Tienes pecados, pero no deletrean tu nombre. Cuando Dios te mira, ve algo por lo que encontró que valía la pena morir. Tú también tienes que ver eso en ti. Pero eso requiere vigilancia espiritual y trabajo.

Demasiados miembros del pueblo de Dios, por quienes Jesús murió y los destinó al cielo, caminan por la vida pareciendo enfermos y cansados porque se castigan a sí mismos en lugar de alinear su diálogo interno con la palabra de Dios. Afortunadamente, es un trabajo sencillo transformar la forma en que te hablas a ti mismo. Pero no es fácil. Tienes que estar atento a lo que te dices a ti mismo y comenzar a decirte intencionalmente la verdad. Si quieres vivir con alegría, no puedes permitirte no hacerlo.

Ese es el primer paso. El siguiente paso es respaldar tu nuevo discurso "positivo", inspirado por Dios, con acción, porque, como dicen, "hablar es barato" si nunca se actúa. Si le dijera a mi esposa "Te amo" todos los días, pero nunca actuara en consecuencia, ella se daría cuenta rápidamente. El amor que no se pone en práctica no es amor en absoluto. Tienes que amarte a ti mismo en acción.

2. Ámate a ti mismo en acción.

Piensa en tus necesidades humanas básicas. ¿Qué te hace sentir descansado? ¿Vivo? ¿Te cuidas? ¿Te quieres? ¿Le dedicas tiempo a esas cosas? Lo necesitas.

Compartí esta reflexión en mi libro, *I Am* ___,[2] y quise incluirla aquí:

Hace poco llegué a casa de un viaje, y mi esposa estaba totalmente agotada. No dije: "Espera, recemos un rosario mientras lavas los platos". (Por supuesto, si hubiera dicho eso, ¡esos platos habrían salido volando hacia mí!) Me movió la compasión y, en uno de mis mejores momentos como esposo, le dije: "Quédate ahí. Deja que vaya a buscarte un poco de sushi". Y me di cuenta: si nuestro Señor entrara en la habitación en ese momento, ¡probablemente habría dicho lo mismo!

Pensamos que Dios sólo se preocupa por las cosas "espirituales" y que nuestras necesidades básicas como el descanso, la limpieza y la comida, o incluso las pequeñas cosas que nos inspiran y nos hacen felices, son de alguna manera desestimables para él. Esa idea no viene de las Escrituras. No es de Dios. ¡Tenemos un Dios que ama cuidar de nuestras necesidades humanas básicas!

Tenemos un Dios que lavó los pies de sus apóstoles. En un encuentro que tuvieron con él después de resucitar, encontraron a Jesús en la playa cocinándoles el desayuno. Hay muchas facetas del significado teológico para ese desayuno de pescado, pero una de esas era esta: quería tenerles un buen desayuno. Después de hacer resucitar a alguien de entre los muertos y causara una gran conmoción, generalmente terminaba el caos con una frase profunda como esta: "Tráele algo de comer". En otras palabras: "El pobre chico estuvo muerto, necesita un sándwich".

[2] Ver Chris Stefanick, *I Am ___: Rewrite Your Name—Reroute Your Life* (Greenwood Village, CO: Real Life Catholic, 2018).

Dios se toma muy en serio nuestras pequeñas y muy humanas necesidades. Por una parte, eso se debe a que es muy difícil crecer espiritualmente si esas necesidades no se satisfacen. No compliques las cosas: Si no puedes orar bien, ¿has dormido lo suficiente? Si te sientes demasiado agotado para cuidar a alguien, ¿has hecho ejercicio, has dado un paseo, leído un libro o hecho algo que se calificaría como "autocuidado" últimamente? Si eres una madre primeriza y te sientes totalmente agotada, ¿te has duchado últimamente?

Lo sé, las exigencias de la vida te hacen sentir egoísta cuando te tomas un descanso al estudiar, trabajar o cuidar de los niños para tener "tiempo para mí". Pero irónicamente, cuando no te preocupas por ti mismo, todo lo que dejas a tus seres queridos es la versión más agotada de ti mismo. No hay nada de amor en eso. Y si eres padre, estás enseñando a tus hijos que careces de la dignidad y la autoestima para "perder el tiempo" en ti mismo, y eso les enseña sobre su propia dignidad y valor.

Hace poco tuve un evento en el que hablé sobre la importancia del "autocuidado". Un joven sacerdote lloró en mi hombro después. Me dijo: "Gracias por darme permiso para cuidarme. No lo he hecho, y mi gente cree que lo tengo todo bajo control, pero soy sólo un cascarón vacío. No puedo inspirar a la gente si no me tomo el tiempo para inspirarme". Era un sacerdote sin nada más que dar. Estaba todo gastado. ¿Alguna vez te has sentido así? Yo también.

Cuando te dejas llegar a ese lugar, no tienes nada para dar. Así que, si no es por tu propio bien, ¡amate a ti mismo por el bien de aquellos que te aman y te necesitan! No tienes que ser rico para leer un buen libro, disfrutar de una comida, ver una película, hacer ejercicio, tomarte un tiempo para una ducha extra larga o tomar una siesta. Solo tienes que reclamar la verdad de que lo mereces, y luego reclamar el tiempo que necesitas para hacerlo.

CÓMO HACERLO

1. Háblate con la verdad a ti mismo.

Mi libro *I Am* ___ y mi programa de coaching han ayudado a innumerables personas a deshacerse de sus mentiras y comenzar a amarse a sí mismas. No puedo recomendarlos lo suficiente, no porque quiera venderte algo, sino porque quiero que experimentes la libertad y la alegría de vivir desde la percepción correcta de ti mismo. Pero por ahora, quiero que comiences aquí: identifica la verdad que más necesitas escuchar y comienza a decirte esa verdad a ti mismo en el espejo.

Dios no te ha revelado la verdad para que esperes a que yo te predique. Empieza a predicarte a ti mismo. Yo no puedo hacerlo por ti. Tampoco puede hacerlo un novio o novia, un cónyuge o un compañero de trabajo. Y si buscas en ellos que compensen tus inseguridades más profundas, vas por la vida demasiado pobre. Empieza a predicarte la verdad a ti mismo, en voz alta, aunque te parezca cursi. Y hazlo cada mañana cuando te mires al espejo.

2. Rechaza tus locos ideales.

Nosotros intentamos desarrollar el modelo de educación en casa durante un tiempo. Teníamos todo tipo de ideales sobre el tipo de padres que seríamos antes de tener hijos. Después de un año de intentos fallidos del modelo, nos dimos cuenta de que el plan de estudios "Ver muchos dibujos animados" que estábamos haciendo inadvertidamente no estaba funcionando. Pero nos llevó tiempo aceptarlo porque lo sentíamos como un fracaso. En realidad, el único fracaso fue aferrarse a un ideal durante demasiado tiempo. La educación de nuestros hijos sufrió por ello. Y mi esposa, que seguía tratando de encajarse en un molde que simplemente no era *ella*, sufrió de sus propias expectativas autoimpuestas sobre sí misma.

> No estás hecho para todo, ¡y eso está bien! Estás hecho para lo que Dios quiere para tu vida. "Jesús no vino a imponernos cargas. Vino a enseñarnos lo que significa ser plenamente feliz y plenamente humano. Por lo tanto, descubrimos la alegría cuando descubrimos la verdad: la verdad acerca de Dios nuestro Padre, la verdad acerca de Jesús nuestro Salvador, la verdad acerca del Espíritu Santo que vive en nuestros corazones". —Juan Pablo II

Y hoy no solo estamos plagados de ideales autoimpuestos de lo que *deberíamos* ser. Gracias a nuestro mundo saturado de contenidos en los medios, la comparación presiona nuestra conciencia desde todos los lados. La persona promedio ahora ve hasta cinco mil anuncios por día. El trabajo de todas las agencia de publicidad es simple: convencerte de que estás incompleto a menos que tengas lo que están vendiendo. "Hay algo que te falta a menos que uses este champú, conduzcas este auto o bebas esta bebida energética". La mayoría de nosotros no podemos nombrar cinco anuncios que hayamos visto hoy, pero tienen una manera de deslizarse en tu conciencia. Funcionan. Si no funcionaran, Coca-Cola no habría gastado cuatro mil millones de dólares en publicidad en el 2019. Eso es más que el PIB de algunos países, y es solo una empresa.

Teddy Roosevelt dijo que "la comparación es el ladrón de la alegría". ¿Es de extrañar que nos estemos volviendo entes sin alegría? Hemos olvidado cómo alegrarnos por lo que somos, tal como somos, y sin más de lo que tenemos.

El único elemento de acción para esto es ser consciente de lo que está sucediendo dentro de tu corazón y ser intencional en rechazar tus falsos ideales. Te agotan y te roban la alegría.

Así que no estás hecho para la educación en casa. Tal vez Dios quiere que tus hijos bendigan a sus compañeros en un entorno escolar.

O tal vez eres un poco extravagante. ¡Muchos santos también lo fueron!

O tal vez tienes unos cuantos kilos de más razonablemente colocados alrededor de su cintura. ¡Si tu trabajo de tiempo completo no es el acondicionamiento, haz paz con ello y disfruta de las papas fritas ocasionales de McDonald's sin castigarte por ello!

3. ¡Haz del autocuidado una prioridad y date un gusto!

Si yo fuera el Dios-hombre (que tienes suerte de que no lo sea), mis milagros en la tierra habrían sido extraordinarios. Habría convertido el cielo en varios colores. No habría curado a la gente de manera corriente. Olvídate de devolver la vista a los ciegos; habría dado terceros ojos. ¡Eso habría sido un milagro difícil de pasar por alto para los fariseos!

Jesús hizo cosas ordinarias. Incluso las resurrecciones de entre los muertos que realizó fueron para la gente común que volvió a morir unas décadas más tarde. Y su primer milagro no fue dividir el mar en dos. ¡Mi primer milagro habría sido exagerado! Jesús simplemente convirtió el agua en vino en una boda para que la fiesta continuara. ¿Qué parte de "Quiero que disfrutes de las cosas ordinarias de la vida cotidiana" no estamos entendiendo?

Un catecismo africano dice: "Dios nos creó porque pensó que nos gustaría". Asegúrate de sacar tiempo para hacer cosas que te gusten: "improductivas", simplemente cosas agradables. Dios quiere eso para ti. Tu familia y amigos quieren que tú te relajes y sonrías más. Es más divertido estar cerca de ti cuando te permites divertirte más.

El autocuidado y el tratamiento no son opcionales. Es tan necesario para tu vida como la gasolina para tu coche. No estoy diciendo que descuides tus responsabilidades; estoy diciendo que necesitas ver el autocuidado como una de ellas.

"¡Pero el piso está sucio y los platos no están lavados!", dices. Noticia de última hora: El piso siempre estará sucio y siempre habrá platos por lavar. El cuidado personal no es algo que se hace cuando todo lo demás está hecho. Es algo que tiene que ser una prioridad destacada y urgente.

He aquí una idea: Registra el autocuidado en tu calendario como si fuera una reunión importante. ¡Lo es!

Es una cita contigo mismo. Quiérete a ti mismo. No te dejes de lado. Escápate durante una hora un par de veces a la semana para hacer cosas que te devuelvan la vida. ¿Qué significa eso para ti? ¿Un pasatiempo? ¿Tocar tu guitarra? ¿Inventar algo? ¿Leer un libro? ¿Fotografía? ¿Hacer ejercicio? Ponle nombre. Escríbelo. Comprométete a hacerlo. ¡Quiérete de forma concreta!

Regla 4: Diviértete

Dios me ha dado de qué reír. —*Génesis 21,6*

ESTA ES nuestra regla más corta y sencilla (de hecho, es la única regla sin una sección separada de "Cómo hacerlo" porque es obvia por el contenido del capítulo), pero no subestimes su poder.

Comencemos diciendo una verdad incómoda: Solías ser más divertido de lo que eres. Muy pocas personas conservan el brillo infantil en sus ojos. Dejan que la vida los haga muy, muy serios. Dejan que sus responsabilidades de adultos les robaran su carácter infantil.

Conozco a algunos hombres que se han resistido a esta tendencia que mata el alma. Mi cuñado es uno de ellos. Sirvió en las Fuerzas Especiales de los Estados Unidos. (Podría decirte más, pero si lo hiciera, tendría que matarte). Gran parte de su vida profesional entre misiones la pasó en lugares muy, muy remotos sin nada que hacer. O al menos, es lo que la mayoría de los adultos considerarían, "nada que hacer". Andy inventó los juegos de mesa, se convirtió en un fabricante de pipas, se aficionó a la fotografía, y puede tocar alrededor de cinco instrumentos. Andy no se siente cómodo cuando la gente le dice que están aburridos.

Mi amigo el Padre Peter Mussett es otro. Siempre es una fiesta dentro de su cabeza, y aunque no puedo entrar allí, es divertido al menos estar cerca de ella. A todo el mundo le encanta estar cerca del Padre Peter. Se ríe. Bromea. Se ha aficionado a la orfebrería y a volar cometas, y siempre está dispuesto a mantener una conversación profunda sobre la vida y cómo vivirla al máximo, no porque sienta que "debe" hacerlo como sacerdote, sino porque le resulta divertido. Le maravillan las cometas y la teología de la misma manera, con el mismo espíritu perpetuamente "encendido".

> Porque Yahveh en su pueblo se complace..." —Salmo 149,4

Y luego está mi hijo Joseph. La cuarentena por coronavirus me dio momentos de locura en los que me sentí como un animal enjaulado. Joseph la veía como tiempo libre para hacer un millón de cosas divertidas. ¡Todos envidiamos la mentalidad de Joey durante el confinamiento del COVID-19!

¿Te aburres? Pues bien, ¿cuándo te volviste tan aburrido? ¿Quién te ha dicho que tus pasatiempos no merecen tu tiempo? (¿No te hacen ganar dinero, así que supongo que no son lo suficientemente para "adultos"?) ¿Quién te dijo que dejaras de ser tonto? ¿Cuándo entrenaste tu mente para "dejar de perder el tiempo"?

¿Sabes lo que sucede cuando dejas todas las fuentes legítimas de diversión en tu vida? Bebes demasiado. Al fin y al cabo, tienes que divertirte. Sólo que has olvidado como hacerlo de forma más saludable. No es que tenga un problema con un buen trago de bourbon. No lo tengo. Es sólo que tengo un problema con él, si se trata de volver a ser divertido.

¿Y por qué son tan importantes las tonterías, los pasatiempos, la pérdida de tiempo y la diversión? Porque te mantiene anclado en una realidad muy seria, y es ésta: los aspectos de peso de la vida son importantes, pero no *todos son importantes*.

Si te estás muriendo, en realidad es algo espiritualmente poderoso bromear sobre ello. Perdóname si esto suena insensible, porque la muerte y el morir son horribles, dolorosos y tristes, pero no tienen la última palabra. Nosotros ganamos. Puedes volver a recordarle a la muerte (y a ti mismo) ese hecho riéndote en su cara, como hizo mi padre después de su ataque al corazón, y como hizo la esposa de mi amigo Ryan antes de morir cuando le regaló una placa que dice: "Hasta que la muerte nos separe es para cobardes."

Si tu trabajo es abrumador y las facturas se acumulan, es algo espiritualmente poderoso negarse a estresarse y jugar con tus hijos una hora aquí y otra allá. Les dice: "Dios está a cargo de nuestra vida. No de las facturas".

Si tienes problemas en tu matrimonio, una de las cosas más poderosas que puedes hacer es divertirse juntos. Si has estado casado el tiempo suficiente, te habrás dado cuenta de que no todo es un camino de rosas. Por eso el matrimonio requiere un voto del que no puedes echarte atrás cuando quieras. Y en mi matrimonio, hemos enfrentado algunos problemas dolorosos. No cambiaría esas cruces por nada. Han hecho que mi amada y yo seamos lo que somos juntos. Una de las cosas que nos ha permitido superar los momentos difíciles es el compromiso con la diversión.

Hacemos algo que llamamos "poner entre paréntesis" nuestros problemas. Al ponerlo entre paréntesis lo dejamos a un lado, para lidiar con él más tarde. Tu cerebro para resolver problemas no quiere dejarte hacer eso. El trabajo de tu cerebro es resolver todo. Tu cerebro tiende a controlarlo todo. Tu cerebro tiende a cargar con todo. Tu trabajo es poner tu cerebro, y tus problemas, en su lugar. A veces lo que necesitas es parar, quedarte quieto, olvidarte de tus problemas, comer algo de sushi y reírte. Tus problemas estarán ahí cuando estés preparado para volver a ellos.

"El cristianismo enseñó a los hombres que el amor vale más que la inteligencia".
—Jacques Maritain

Tomar un descanso de tus problemas le dice a tu cónyuge: "Tu eres más importante que nuestros problemas". Tomar un descanso de tu estrés laboral para ser un tonto con tus hijos les dice: "Ustedes son más importante que mi trabajo y nuestros ingresos". "Porque la vida vale más que el alimento, y el cuerpo más que el vestido" (Lucas 12,23), después de todo.

No digo que no debas ocuparte de tus problemas, pero que no te tomes tan en serio todo el tiempo. Encontrarás un poder tremendo para enfrentarte a tus problemas con esa mentalidad.

He encontrado que una de las mejores maneras de relajar un viaje en coche tenso con mi familia de perros alfa es poner ¡canciones infantiles sosas en la radio! Siempre funciona. Es difícil luchar mientras escuchas a David Casey y Raffi porque es difícil tomarte demasiado en serio mientras cantas, "alguien me robó los calcetines", y la mitad de tus peleas provienen de tomarte todo demasiado en serio.

G. K. Chesterton dijo que "los ángeles pueden volar porque se toman a sí mismos a la ligera". ¿Quieres volar? Diviértete. Sé divertido.

No importa qué chiste estúpido cuentes, qué libro "inútil" leas, o qué pasatiempo escoges que te resulta divertido. Sencillamente elije algo y hazlo, apasiónate y vuelve a entusiasmarte con cosas pequeñas, aparentemente "sin importancia".

Regla 5: Compromete tu cuerpo en la batalla por la alegría

¿O no sabéis que vuestro cuerpo es santuario del Espíritu Santo? —1 Corintios 6,19

PUEDE QUE PIENSES que eres demasiado "espiritual" para este capítulo, pero no eres un espíritu puro. Eres un "compuesto de cuerpo y alma". Tu cuerpo tiene mucho que ver con tu búsqueda de la alegría porque es una gran parte de quién y qué eres, y el aumento de los sentimientos de felicidad y bienestar a nivel corporal y neurobiológico hace que la batalla por una alegría espiritual más profunda sea más fácil de ganar. Por lo tanto, necesitas involucrar a tu cuerpo en tu búsqueda de la alegría para la que estás hecho. Analicemos exactamente lo que significa comprometer tu cuerpo en la batalla por la alegría y ver algunas maneras sencillas de hacerlo.

Cambia tu posición, cambia tu disposición

El otro día recogí a mi hija pequeña, Clementina, de la escuela. Parecía un globo medio desinflado. Le dije: "¿Qué pasa, cariño?" "Hoy nadie ha querido jugar conmigo durante el recreo", dijo. Con solo la mitad del aire que le queda en la voz, continuó: "Creo que es porque soy..."

"No, no, detente ahí", le dije. "No hay nada malo en ti. No empieces a creer que te pasa algo porque otros niños no jugaron contigo. Tú eres una bendición. Eres divertida. Sabes amar a la gente. Cualquiera sería afortunado de ser tu amigo".

Pude ver cómo comenzaba a reanimarse lentamente.

"¿Sabes algo más?" Le dije. "Tu Padre celestial te mira y sonríe. Puso las galaxias en movimiento y puso estrellas en el cielo nocturno para ti, Él te ama inmensamente. Y tu padre terrenal es el hombre más guapo del mundo".

En ese momento ya estaba reanimada en un 70%, así que seguí levantando.

"Necesito verte sonreír". Se iluminó. "Ahora, necesito que endereces la espalda y respires. Mantén la cabeza en alto. Y cuando mañana camines por el patio de recreo, quiero que lo hagas como si fueras una bendición. Y en lugar de preguntarte *¿quién jugará conmigo?* Quiero que busques una niña que esté sola y desesperada por que alguien juegue con ella, y quiero que juegues con esa niña. Quiero que seas una bendición, porque eso es lo que eres".

Necesito repetirte el mensaje para mi Clementina ahora mismo. Cada habitación en la que entres, quiero que entres como si estuvieras listo para bendecir a las personas. No como una criatura pequeña y tímida, esperando que nadie te pise. Entra como un termostato. (Sí, lo sé, los termostatos no caminan. Todas las analogías cojean. Ten paciencia conmigo.) Tú no respondes a la temperatura de una habitación, eso es lo que hacen los termostatos. Tú eres el termostato que estableces la temperatura de la habitación.

"Devuélveme el son del gozo y la alegría, exulten los huesos que machacaste tú." —Salmo 51,8

Coloca tu sonrisa, la espalda recta, los hombros hacia atrás, saca pecho. Estás ahí para bendecir. Tu Padre celestial es el Rey del Universo, y tú eres su hijo consentido. Eso te convierte en realeza: el hijo favorito de un Rey o la hija más querida. ¿Lo crees? Si no lo haces, mira la cruz y piensa en lo que el Rey de Reyes hizo por *ti*. Luego comienza a informar a tu cerebro que le diga a tu cuerpo que se porte como si lo creyeras. Entonces tal vez empieces a creerlo.

Tienes que dejar de ser el pasajero de tus pensamientos y estados de ánimo del momento, dejando que te conduzcan a través de la vida. No "te pidas" el asiento del copiloto. Siéntate en el puesto del conductor. Tu estado de ánimo no debe dictar cómo te conduces a ti mismo, esto debe estar determinado por cómo quieres sentirte, porque la forma en que te conduces a ti mismo tiene el poder de transformarte cómo pensar y sentir.

Cuando te sientes desconfiado y desanimado, y caminas como si te sintieras desconfiado y desanimado —los hombros caídos, la cabeza inclinada, como un globo con poco aire— lo que estás haciendo es reforzar un estado de ánimo que no quieres tener. Tu cuerpo está enviando mensajes a tu mente y corazón sobre cómo sentirte y lo que vales. Estás practicando sentirte "desinflado".

¿Qué tal si practicas lo que quieres sentir? Finge hasta que lo consigas. Una vez escuché que la Madre Teresa dijo: "Si quieres amar a Dios, actúa como si lo amaras". Lo mismo se aplica a tu alegría y confianza y a la forma en que te conduces a ti mismo.

Un estudio incluso mostró una correlación directa entre la postura y tu química. Estar de pie confiado y sin miedo como un superhéroe, las piernas separadas y las manos en las caderas, en realidad aumenta la testosterona (que hace que las personas se sientan poderosas) y disminuye el cortisol (el cual hace que las personas se sientan estresadas). Otra posición de poder que hace lo mismo es sentarse con confianza con las manos detrás de la cabeza y los pies sobre una mesa, como un JEFE. Y a la inversa, asumir una posición cerrada, en lugar de cualquier posición más abierta de superhéroes, exactamente el efecto contrario.[1]

[1] Robin S. Rosenberg, "Why You May Want to Stand Like a Superhero," *Psychology Today*, July 14, 2011, https://www.psychologytoday.com/us/blog/the-superheroes/201107/why-you-may-want-stand-superhero.

Tu posición expresa tu disposición, pero no tiene por qué ser así. Tu posición puede *formar* tu disposición. Recuerda, Dios no sólo te creó como un espíritu puro. ¡Necesitas involucrar todo lo que eres en tu batalla por la alegría!

SONRÍE MÁS

El Papa Francisco, con su franqueza habitual, criticó en una homilía a los cristianos no sonrientes, "usando una frase que se traduce literalmente como 'la cara de un pimiento al escabeche" para describir su apariencia.[2] Luego nos mostró la importancia la sonrisa en el testimonio del cristiano. La gente debería ver que verdaderamente creemos en la mejor noticia de la historia de la humanidad con sólo mirarnos a la cara.

En resumen: Él ha resucitado. Dilo con tu cara.

Si creemos en la mejor noticia de la historia de la humanidad, ella debería brillar en nuestros rostros. No si lo sentimos, sino porque lo creemos. Y también, porque sonreír no es solo una expresión de alegría. Es una fuente de alegría.

Lo proverbios dice, "Corazón alegre hace buena cara, corazón en pena deprime el espíritu." (Prov 15,13). La ciencia ha demostrado que lo contrario también es cierto. Una cara alegre hace un corazón alegre.

Investigadores británicos descubrieron que una sonrisa estimula los mecanismos de recompensa de nuestro

[2] Cindy Wooden, "Sourpusses Hurt the Church's Witness, Mission, Pope Says at Mass," *Today's Catholic*, May 10, 2013, https://todayscatholic.org/sourpusses-hurt-the-churchs-witness-mission-pope-says-at-mass/.

cerebro con la misma eficacia que dos mil barras de chocolate. Así que supongo que no tienes que sonreír, pero es posible que quieras comer. El mismo estudio también encontró que una sonrisa estimula el centro de recompensa del cerebro tan eficazmente, para la mayoría de las personas, como recibir un cheque de $25,000 dólares.[3] ¿Quieres ganar la lotería? Sonríe diez veces al día y, en un mes, habrás acumulado tanta sensación de recompensa como alguien que ganó $7.5 millones de dólares.

Un estudio de Berkeley sobre sonreír y la depresión encontró que sonreír frente a un espejo con una gran sonrisa durante veinte minutos al día reduce la depresión.[4] (Me imagino que esos veinte minutos también te dan unos cachetes bien formados en músculos de las mejillas).

Y, por el lado positivo la ciencia ha descubierto que la sonrisa, al igual que el bostezo, es literalmente contagioso. El solo hecho de pensar en ella o verla puede contagiarla. (Bosteza. Bosteza. Bosteeeeeeza. Adelante. Hazlo. ¿Lo ves? Te acabo de hacer bostezar. Ahora... SONRÍE!) Por lo tanto, puedes difundir todos los beneficios de sonreír simplemente haciéndolo tú mismo. Qué maravilla.

La Madre Teresa dijo una vez: "Nunca sabremos todo el bien que puede hacer una simple sonrisa". Estamos empezando a descubrirlo.

[3] Ron Gutman, "The Untapped Power of Smiling," *Forbes*, March 22, 2011, https://www.forbes.com/sites/ericsavitz/2011/03/22/the-untapped-power-of-smiling/#4c6afa0a7a67.

[4] Evan Farmer, *Breaking In: The Formula for Success in Entertainment* (Dallas, TX: ISB Publishing, 2012), 117.

EJERCICIO

Otra forma poderosa de involucrar a tu cuerpo en la batalla por la alegría es el ejercicio.

Se realizó un estudio sobre el impacto del ejercicio en la depresión. Encontraron que, para muchas personas, hacer ejercicio con regularidad era tan eficaz para tratar la depresión como la medicación de antidepresivos.[5]

Debo aclarar que no estoy en contra de la medicación si sufres de depresión clínica. De hecho, soy un gran partidario de ella si la necesitas. No es un signo de debilidad que necesites ayuda para ser quien eres. El cerebro es un órgano como cualquier otro, y a veces necesita un poco de ayuda para equilibrarse. Pero especialmente si necesita medicamentos, debes prestar atención a ese estudio.

La depresión está en su punto más alto de todos los tiempos, creo que se debe en gran parte a lo sedentarios que nos hemos vuelto como sociedad. Los seres humanos no evolucionaron para mirar persistentemente sus teléfonos inteligentes durante diez horas al día. Nuestros cuerpos están hechos para moverse. Y el ejercicio pone en marcha toda una serie de procesos neurológicos y hormonales asociados a la sensación de felicidad, que hacen que nuestra vida no sólo sea más larga, sino también más agradable.

No digo que el ejercicio sea agradable. Para la mayoría de nosotros, no lo es. Esto se debe a que, además de

[5] Working Off Depression," *Harvard Health Publishing*, March 2014, https://www.health.harvard.edu/mind-and-mood/working-off-depression.

evolucionar para cazar y recolectar, también evolucionamos para conservar las calorías que necesita para sobrevivir, por lo que a la mayoría de la gente no le *gusta* un ejercicio fuerte cardiovascular. Pero sí suelen gustar más las otras veintitrés horas del día después de ese ejercicio cardiovascular. No hay nada peor que estar a la mitad de una sesión en un ejercicio cardiovascular. ¡Pero nada se experimenta mejor que ese ejercicio terminado!

Mi esposa sufre de depresión invernal bastante intensa. En parte es por eso que nos mudamos de Wisconsin a Colorado, pero todavía no es lo suficientemente cálido para ella. Antes de darnos cuenta de lo que estaba pasando, al final de cada invierno, llenábamos nuestros días con conversaciones existenciales de desesperanza sobre la vida, y empezábamos a buscar en Zillow, casas en Florida y Maui.

El año pasado, comenzó a hacer ejercicio muy agresivamente cuatro días a la semana. Ella no se quejó una sola vez sobre el invierno. Su trastorno afectivo estacional desapareció por completo. Y no necesito ningún medicamento para que desapareciera

El ejercicio es poderoso. Simple y llanamente.

CÓMO HACERLO

1. Seguir adelante. Sonríe.

Esto no es demasiado complicado, pero tienes que ser intencional al hacerlo.

Cuando saludas a alguien, hazlo con la intención de sonreír al decir hola. Cada vez que veas una cara en la fila del supermercado, ofrécele una sonrisa y saluda.

Y sonríete a ti mismo también, literalmente, en el espejo. Esa práctica tiene un gran poder para cambiar el estado de ánimo.

Solía tener un malestar estomacal antes de cada charla que daba. Para alguien que se gana la vida hablando, es mucho tiempo sintiéndose enfermo. Ya no lo sufro. Y no es solo porque me he acostumbrado más a hablar en público. Es porque he aprendido a manejar mis propias emociones. Antes de hablar en público, me miro en un espejo, respiro profundo y abro mis brazos, y sonrío con una sonrisa tan enorme que, si entraras en la habitación, podrías pensar que había perdido la cabeza. Y no es porque me sienta tan alegre. Es porque quiero, y lo que es más importante, quiero comunicar alegría y animar a la gente. Siempre funciona. Mis sentimientos pueden cambiar como los engranajes de un automóvil, desde el miedo de hablar ante una gran multitud, al entusiasmo.

Yo manejo mis sentimientos. Ellos no me manejan a mí. Y una simple sonrisa me ayuda a hacerlo. Te ayudará también a ti. Pero tienes que convertirlo en un hábito.

2. Establece cuándo y dónde planeas hacer tu ejercicio.

(Este truco útil para vivir está también en mi programa de coaching *I Am* ___).

Cuando digo: “Deberías hacer más ejercicio”, probablemente pienses: “Lo sé. Llevo años diciéndome eso. Concretamente no estás haciendo nada para ayudarme en este momento”. Pero tal vez necesites algo más que decirte a ti mismo, en términos indecisos, que deberías hacer más ejercicio.

En el libro *Hábitos Atómicos*, el autor comparte un estudio en el que investigadores británicos realizaron una prueba para ver cómo podrían ayudar a las personas a mejorar los hábitos de hacer ejercicio. Las personas se dividieron en tres grupos. A un grupo de control se le dijo simplemente que anotara cuándo hacía ejercicio. Un segundo grupo recibió una charla motivacional sobre los beneficios del ejercicio. Y a un tercer grupo se le dio la misma charla motivacional y se le dijo que escribiera exactamente dónde y cuándo planeaban hacer ejercicio.

En los grupos uno y dos, menos del 40% terminó haciendo ejercicio. Vale la pena señalar que el grupo al que se le dio una charla motivacional puede haberse sentido motivado en el momento, pero no hubo ninguna diferencia en su comportamiento en comparación con el grupo al que simplemente se le dijo que escribiera cuando habían hecho ejercicio. Pero para el grupo que escuchó la charla motivacional y pasó por el trabajo mental de escribir dónde y cuándo planeaban hacer ejercicio, ¡el 91% desarrolló mejores hábitos que perduraron de hacer ejercicio![6]

Necesitas hacer ejercicio. Lo sabes. Pero si quieres hacer lo que sabes que necesitas hacer, tienes que escribir cuándo y dónde Y tienes que dejar de dialogar contigo mismo sobre por qué no quieres hacer ejercicio. Eso es irrelevante. Recuerda: ¡no todos tus pensamientos y sentimientos tienen un voto!

Y no compliques el ejercicio. Hay grandes programas en línea y entrenadores personales, y soy un fan de todo

[6] James Clear, *Hábitos Atómicos: Un método sencillo y comprobado para desarrollar buenos hábitos y eliminar los malos* (México, Paidos, 2018), 50.

eso. Pero también puedes hacerlo muy, muy sencillo. Si no tienes ni idea de qué hacer, pero anotaste "hacer ejercicio" el lunes a las 8 a.m. en tu agenda, ponte unos pantalones cortos de gimnasia a las 8 a.m. y empieza a dar saltos hasta que quieras desmayarte. ¡Probablemente solo te llevará unos cinco minutos! Luego, dos días después, a las 8 a.m., harás tres minutos más de saltos.

Te lo garantizo. Te harás más fuerte. Así es cómo funciona el cuerpo. Pero lo más importante es que serás más feliz.

> "Somos criaturas a medias, haciendo tonterías con la bebida y el sexo y la ambición cuando se nos ofrece una alegría infinita, como un niño ignorante que quiere seguir haciendo pasteles de barro en un barrio pobre porque no puede imaginar lo que significa la oferta de unas vacaciones en el mar. Somos muy fáciles de complacer".
> —C. S. Lewis

Me encanta la variedad en el entrenamiento: levantar pesas, hacer entrenamientos HIIT, boxeo, jiujitsu, lo que sea, pero cuando estoy viajando, solo hago flexiones de "burpees". Búscalo. Es agotador. Si eso fuera todo lo que hiciera durante todo el tiempo que pudiera tres días a la semana, probablemente estaría en mejor forma. No hay necesidad de complicar el ejercicio a menos que sea divertido para ti hacerlo.

Una nota rápida (pero importante) sobre el ejercicio: Asegúrese de matar los ideales locos.

Conozco a un fisiculturista profesional. "No hay manera de que debamos llamar a esto un deporte de aptitud física. No hay nada saludable en ello", me dijo.

Antes de una competencia, tiene que reducir su consumo de calorías a quinientas al día. Eso sin dejar de lado su régimen de levantamiento de pesas de varias horas. Luego, unos días antes de una competencia, no bebe agua para que su piel, desprovista de cualquier hidratación, se chupe los músculos. "Antes de salir al escenario a posar", dijo, "no puedo pensar claramente o hablar en oraciones completas".

Y es en este estado que a la gente le toma fotos y las ponen en la portada de un DVD de entrenamiento, aparece en películas sin camisa, sube al escenario en una competencia o posa para un cartel publicitario, enviando el mensaje al mundo de que tú también puedes lucir así.

No, en realidad no puedes. A menos que sea tu trabajo.

Hugh Jackman, que interpretó a Wolverine en X-Men, apareció sin camisa en una escena, y me sorprendió que un tipo de unos cuarenta años pudiera estar en esa forma física. Investigué un poco sobre cuáles eran sus rutinas de entrenamiento y alimentación, solo para descubrir que se había deshidratado tanto para esa escena que necesitó una vía intravenosa inmediatamente después de filmarla. Sin embargo, innumerables hombres vieron esa película y establecieron esa imagen como su objetivo para estar en forma.

Si tu entrenamiento es impulsado por la vanidad y un objetivo corporal poco realista, o si tu sentido de logro está demasiado ligado a él, no te hará más feliz. Te robará la paz. Tu tiempo de entrenamiento se paralizará por deshacer el estrés. Todo tu día girará en torno a ello

Y puede que te esfuerces tanto que te lesiones. Has escuchado el dicho "si no hay dolor, no hay ganancia". Tengo otro para ti: "sin dolor, no hay dolor".

Si quieres que tus entrenamientos te den más energía y alegría, asegúrate de recordar ese motivo antes de ir al gimnasio.

3. Haz de tu cuerpo una ofrenda.

Algún día, tu cuerpo dejará de funcionar. Lamentablemente, este no es un "si" sino un "cuándo". Nos referimos a las personas cuyos cuerpos no funcionan como fueron diseñados por ser "discapacitados". Pero, en un sentido muy real, el resto de nosotros sólo estamos "temporalmente capacitados". Podemos hacer cosas para aplazar nuestra inevitable desaparición, pero eso no cambia la inevitabilidad de la misma. Eso no es pesimismo. Es la realidad. Y debido a que somos compuestos de cuerpo y alma, eso no es fácil.

Entonces, ¿cómo involucras a tu cuerpo en la batalla por la alegría cuando no está funcionando bien? San Pablo nos dice en Rom 12,1, "que ofrezcáis vuestros cuerpos como una víctima viva, santa, agradable a Dios: tal será vuestro culto espiritual".

Si eres un católico de antaño, has escuchado la frase "ofrécelo" en respuesta al sufrimiento. Eso suena insensible, pero hay una verdadera sabiduría en ello. Jesús sufrió en la cruz, no para que no tuviéramos que hacerlo, sino para que supiéramos cómo hacerlo. Para nosotros, los católicos, el sufrimiento no es algo que tratamos de olvidar o pasar por alto. Es una parte de la vida que tenemos que abrazar, y podemos hacerlo uniéndolo a la ofrenda de Jesús en la cruz para la salvación del mundo.

Pablo escribió sobre su propio sufrimiento físico en Colosenses 1,24: "Ahora me alegro por los padecimientos que soporto por vosotros, y completo en mi carne lo que falta a las tribulaciones de Cristo, en favor de su Cuerpo, que es la Iglesia". Por supuesto, técnicamente no hay nada que "falte" en lo que Jesús hizo en la cruz, pero Jesús eligió hacernos "corredentores" con Él, por así decirlo, capaces de extender espiritualmente los frutos de la cruz a todo el mundo mediante nuestra oración y ofrenda del sacrificio cuando sufrimos. Creo que Dios ha dispuesto las cosas de esa manera para dar propósito y alegría a nuestro dolor. Como Pablo dijo al principio de su declaración a los colosenses, "Ahora me alegro por los padecimientos que soporto". Un sentido de propósito infundido por el amor conduce a la alegría, incluso en nuestro sufrimiento.

4. Dormir.

Dios no suele saltarse las leyes de la naturaleza, como tampoco se salta las leyes de la gracia. Él hizo las dos. Ambas vienen de Él en cada nanosegundo. Algunas veces, cuando sientes una angustia general por la vida, en lugar de entrar en pánico sobre tu estado y volver a mirar cada cosa que debes cambiar, ¡sólo necesitas una buena siesta!

Realmente es increíble la cantidad de problemas que podríamos evitar si simplemente durmiéramos como necesitamos. Los adolescentes, por ejemplo, necesitan de ocho a diez horas de sueño cada noche. Sólo el 15%

duerme tanto. La falta de sueño puede hacerte olvidadizo, darte más espinillas, hacerte agresivo e impaciente, y puede llevar a la adicción al azúcar, a la dependencia de demasiada cafeína y nicotina, y a conducir de manera insegura.[7]

Parece que la mitad de los problemas que vemos en el "adolescente típico" que le cuestan a la sociedad miles de millones de dólares en la atención a la salud mental, problemas de comportamiento en la escuela y en el hogar, accidentes de conducción de los adolescentes y problemas dermatológicos podrían solucionarse si los adolescentes dejaran de estimular sus cerebros desplazándose en las pantallas de sus teléfonos a la hora de dormir, apagaran las luces y durmieran como lo necesitan. Tendemos a buscar soluciones tan costosas y complicadas para problemas tan simples.

Y esto, obviamente no solo se aplica a los adolescentes, sino a todo el mundo. Si quieres estar sano y feliz, no puedes sacrificar tu sueño. Además de hacerte generalmente menos "quisquilloso" y más capaz de luchar por tu alegría diaria, el sueño te ayuda a descomponer el azúcar (es decir, quema la grasa), fortalece la piel, los huesos y los músculos, encoge las células cerebrales para "exprimir" los desechos y combate todo, desde la enfermedad de Alzheimer hasta la depresión.[8] El sueño es

[7] "Health Tip: Most Teens Don't Get Enough Sleep," *HealthDay*, January 31, 2012, https://consumer.healthday.com/kids-health-information-23/misc-kid-s-health-news-435/health-tip-most-teens-don-t-get-enough-sleep-660912.html.

[8] Alice Park, "The Power of Sleep," *Time*, September 11, 2014, https://time.com/3326565/the-power-of-sleep/.

más poderoso para tu cuerpo, mente y estado de ánimo que cualquier droga. Nunca olvidaré una homilía que escuché en la universidad. El Padre Brian Cavanaugh, OFM, dijo: "El sueño es un arma". Si quieres luchar por tu alegría, asegúrate de usarla.

Regla 6: Hacer amigos

Vosotros sois mis amigos. —Juan 15,14

EN EL CAPÍTULO 1, mencioné el estudio sin precedentes realizado en Harvard con 268 personas a lo largo de 75 años para averiguar qué hacía que las personas prosperaren en la vejez. Más que buenos genes y mucho dinero, ¡fue alegría!

Entonces, ¿cómo conseguirlo? El estudio de Harvard también lo analizó. Resulta que no es el dinero, la fama, el éxito o incluso la salud. Es la amistad. Las personas con relaciones buenas y saludables terminaron siendo felices y saludables hasta la vejez.[1] Pero eso no es fácil, por lo que esta regla no es "disfrutar de los amigos" sino el verbo que nuestros padres usaron cuando nos ordenaron salir y jugar: *haz* amigos.

[1] Mineo, "Good Genes Are Nice, But Joy Is Better," *The Harvard Gazette.*

La Amistad: Es buena para ti

Cada vez más estudios están demostrando que la soledad es literalmente tóxica. "El aumento de la mortalidad asociado con la soledad es igual al aumento de la mortalidad que vemos al fumar 15 cigarrillos al día... [y es] mayor que la mortalidad asociada con la obesidad".[2] Así es, ¡fumar y comer tocino todos los días con amigos es más saludable que estar solo! (¡No es que recomiende eso tampoco!) Por el contrario, vivir en comunidad extiende tu vida

En Haití, la misión en el que trabajamos con Real Life Catholic comenzó en un orfanato. Mientras trabajaban con los huérfanos, encontraron ancianos que morían solos en las colinas y en el bosque. Entonces, comenzaron un hogar para moribundos para dar a la gente una cama cómoda para morir. Y ocurrió un milagro. Los niños del orfanato comenzaron a venir y jugar con los ancianos en el hogar para los moribundos... y dejaron de morir. ¡Lo que era un hospicio se convirtió en un hogar de ancianos donde la gente vive hasta una edad avanzada!

> "Ningún alma que desee seria y constantemente la alegría la echará de menos. Los que buscan encuentran. A los que llaman se les abre". —C. S. Lewis

Un estudio en más de setenta y cinco mil mujeres realizado a lo largo de dieciséis años muestra que aquellas que asistieron a la iglesia más de una vez a la semana

[2] "Feeling Lonely, You're Not Alone," *CBS News*, February 10, 2019, https://www.cbsnews.com/news/feeling-lonely-you-are-not-alone/.

tenían un riesgo 33% menor de muerte por cualquier causa que las que no asistían, y las que iban solo una vez por semana tenían un riesgo de 26% menor de mortalidad. El "he venido para que tengan vida" adquiere un nuevo significado literal![3] Otro estudio encontró que las personas que van a la iglesia con regularidad viven casi cuatro años más que las personas que no lo hacen.[4] Sin duda, eso se debe a que la fe da energía y esperanza a las personas, pero también es porque la iglesia es un lugar donde hay comunidad.

Y, por supuesto, no es difícil ver cómo la amistad también es espiritualmente saludable.

La amistad: un pilar espiritual

Una gran analogía con el poder espiritual de la amistad se puede encontrar en los árboles más grandes del mundo. Las secuoyas son los árboles más grandes de la tierra. Entre los más famosos se encuentra el Árbol General Sherman. Su circunferencia base es de más de 31 metros, y se extiende a casi 83,8 metros de altura. Su peso estimado es de 2.000 toneladas. La corteza de una secuoya, resistente al fuego, puede tener hasta 60 centímetros de espesor. Algunas secuoyas en la tierra hoy en día tienen más de tres mil años de antigüedad y todavía

[3] Nicholas Bakalar, "Churchgoers May Live Longer," *New York Times*, June 12, 2016, https://well.blogs.nytimes.com/2016/06/12/church-goers-may-live-longer/.

[4] Rachael Rettner, "Could God Help You Live Longer?," *Live Science*, June 13, 2018, https://www.livescience.com/62809-religion-longevity.html.

están sanas y en crecimiento. Practicar senderismo en un bosque de secuoyas es una de las experiencias más extrañas que he tenido. Me sentí como una hormiga. Fue tan inquietantemente hermoso, y también peligroso. En un día de vientos, llaman a las secuoyas "asesinas silenciosas". Algo tan inofensivo como la caída de una rama silenciosamente al suelo es, para un excursionista, el equivalente a que te caiga de repente encima de ti un árbol de tamaño normal.

Pero lo más impactante de las poderosas secuoyas es esto: sus raíces solo van a metro y medio de profundidad. Te preguntarás ¿Cómo un árbol tan poderoso se puede soportar con raíces tan poco profundas? Es simple: sus raíces no se estiran profundamente, se extienden a lo ancho, se entrelazan con las raíces de un bosque de otros árboles poderosos. De la misma manera, la única forma de crecer en toda nuestra estatura como hijos de Dios es estar conectados con otros cristianos en nuestras raíces.

Jesús no sólo habló de esto. Él lo modeló. Amó a todos, predicó a la multitud, invirtió su vida en los doce y se apoyó en los tres: Pedro, Santiago y Juan.

Pocas cosas podrían ser tan importantes para nuestra salud y felicidad como la amistad. Pero no es fácil. Vamos a sumergirnos en cómo estimular a través de las luchas el construir amistades de verdad.

CÓMO HACERLO

El suelo donde crece la amistad es el tiempo, la intimidad y la misericordia.

1. Dedicarle el tiempo necesario.

La amistad requiere tiempo y esfuerzo. Por eso esta regla puede ser la más fácil de entender, pero la más difícil de vivir.

La mente humana está programada para elegir la comodidad con el menor esfuerzo posible y para evitar el dolor. Los amigos no encajan en ese paradigma. Pueden suponer un gran esfuerzo. ¿Sabes qué sí encaja en ese paradigma de bajo esfuerzo y bajo riesgo? Los "amigos" online.

Es por eso que nuestros cerebros cavernícolas tienden a favorecerlos. Piénsalo. Cuando sientes la incomodidad de la soledad, ¿(a) llamas a un amigo y tomas un café juntos, o (b) te desplazas por tu teléfono hasta que hayas ahogado la soledad por un momento? Cada vez más personas están eligiendo la opción b, y no funciona. Las conexiones digitales son reales, pero no son lo suficientemente profundas. Prácticamente todos los estudios sobre iGen muestran que cuanto más sustituye el teléfono a la interacción cara a cara, más solitarias se vuelven las personas.[5]

La verdad es que hacer amistades reales lleva mucho más tiempo que un texto rápido, "snap" o un "retweet".

Hacer amigos requiere dejar de lado las distracciones para conversar o compartir un interés. El problema es que estás ocupado, ¡pero tienes que sacar tiempo para

[5] Rowena Gonden, "Social Media Linked to Increase in Depression among Teens, Young Adults," *Healthline*, March 20, 2019, https://www.healthline.com/health-news/social-media-linked-to-mental-health-disorders-in-igen-generation.

lo que importa! Por tu salud emocional, física y espiritual, tienes que dedicar tiempo para que las amistades crezcan.

Reserva tiempo en tu calendario cada semana para encontrarte con uno de tus amigos, o el mismo amigo, para tomar un café, tener una conversación telefónica o hacer alguna otra actividad compartida.

2. Sé íntimo.

La verdadera amistad es íntima. La mayoría de las personas hoy en día asocian la intimidad sólo con las relaciones románticas. Lo están haciendo mal. Esa percepción errónea es probablemente la razón por la que tantos hombres terminan solos, el 63%, para ser exactos.[6] Temen que una relación profundamente amorosa implique un romance. También podría ser la razón por la que tantos adolescentes terminan enredados en relaciones físicas con amigos. El corazón humano necesita intimidad. Y si nadie le pidiera a la adolescente X que bailara, puede que recurra a sus amigos para lograr la intimidad que necesita, pero de la manera equivocada

¡Las amistades deben ser íntimas! Así es como Jesús hizo amistad. Jesús no les dijo a los apóstoles: "Ustedes son mis compañeros de trabajo". Él dijo: "Vosotros sois mis amigos" (Juan 15,14). A sus amigos les dijo: "Con

[6] Elena Renken,"Most Americans Are Lonely, and Our Workplace Culture May Not Be Helping," *National Public Radio*, January 23, 2020, https://www.npr.org/sections/health-shots/2020/01/23/798676465/most-americans-are-lonely-and-our-workplace-culture-may-not-be-helping.

ansia he deseado comer esta Pascua con vosotros... Este es mi cuerpo" (Lucas 22,15, 19). Él no dijo: "El hombre no tiene mayor amor que éste, abrazarse con su novia el día de San Valentín". Él dijo, "Nadie tiene mayor amor que el que da su vida por sus amigos" (Juan 15,13). A su amigo, Pedro, le dijo: "¿Me amas...?" respondió el: "Sí, Señor; tu sabes que te quiero" (Juan 21,15). Era una conversación incómoda entre dos hombres. Pero no fueron menos masculinos por ello. ¿Puedes decirles a tus amigos que los amas? Yo lo hago siempre.

"Por esto, confortaos mutuamente y edificaos los unos a los otros, como ya lo hacéis". —1 Tes 5,11

Quiero darte una fórmula secreta para formar una amistad más profunda. Como disciplina espiritual, quiero que te reúnas con uno a cinco amigos una vez al mes. Compartan una taza de café. Oren juntos. Si deseas, invita a un grupo pequeño para estudio bíblico. Pero asegúrate de que la conversación aterrice en esta fórmula secreta para crear amistad. Saca tu pluma y escribe esta frase mágica. ¿Listo? Aquí está: ¿*Cómo estás*?

No me refiero solo a "¿Cómo te sientes hoy" sino a "¿Cómo estás *realmente*?" Otra forma de preguntarlo es "¿Qué está haciendo Dios en tu vida?" O tal vez el 1, 2, 3 de: "¿Por qué estás agradecido? ¿Con qué estás luchando? ¿Y cómo quieres crecer?" El propósito es revisar profundamente, para que puedas conocer y ser conocido, y como las secuoyas, pueden sostenerse unos a otros.

Y luego, después de escucharse ciertamente unos a otros, orar por cada persona con base en lo que dijo, y reunirse y repetirlo nuevamente cada mes. Es tan sencillo.

Así de directo. Y puede cambiar tu vida, haciéndote más sano y más santo.

La Escritura dice: "El hierro con hierro se afila, y el hombre con su prójimo se afina". (Prov. 27,17). Por el contrario, si no se comprueba el interior y no se rinde cuentas con honestidad, es como si fueras una secuoya sin raíces. Francamente, no importa lo grande y fuerte que te veas, una pequeña tormenta te hará caer.

Encuentra amigos con los que puedas llegar a hacer esto y preguntarles: "Sé que somos amigos, pero me encantaría profundizar. Me encantaría que nos reuniéramos una vez al mes y sencillamente nos buscamos espiritualmente para que podamos orar el uno por el otro y crecer juntos". Si resulta que ellos también están leyendo este libro, solo pregúnteles: "¿Quieres ser mi amigo especial?" ¡Ellos sabrán lo que quieres decir!

Nada de esto es ciencia espacial. Como todas las reglas sencillas y poderosas de este libro, sólo tienes que dedicarle tiempo.

3. Sé misericordioso y deja pasar las cosas con facilidad.

La gente es molesta. Si te quedas conmigo el tiempo suficiente, seguro que te molesto. Pero la realidad es que, según el estudio de Harvard al que hacemos referencia, ¡incluso las relaciones difíciles son buenas para ti! El impacto positivo de la amistad en la salud seguía siendo válido para las parejas casadas que discutían mucho. La clave no eran las relaciones "fluidas", sino la sensación de que se amaban, eran fieles y podían confiar el uno en el otro. Las personas mayores con ese tipo de relaciones en sus vidas, románticas o no, seguían sintiendo los dolores y molestias que cualquier persona siente en la vejez, pero no los sentían con tanta intensidad.

Entonces, ¿cómo se pueden mantener relaciones duraderas y solidarias con personas que seguramente te molestarán? En palabras de Elsa, de la película Frozen, "déjalo pasar".

Tiendes a encontrar y centrarte en los defectos de las personas de tu vida, ¿no es así? Eso se debe a que tu cerebro está programado para la auto preservación y la supervivencia. Somos buenos para encontrar y evitar cosas que pueden perjudicarnos.

No estoy diciendo que seas ciego a los defectos de otras personas, sino que elijas dejarlos pasar con más frecuencia. La única manera de crecer en la amistad con el tiempo es perdonar fácilmente. Niégate a dejar que la falta de perdón destruya tus amistades y tu alegría. San Francisco de Paula dijo: "La falta de perdón es como un gusano en tu mente".

Es útil recordar que la mitad de las veces cuando las personas te ofenden, ni siquiera sabían que estaban haciendo. Y adivina qué, la mitad de las veces que ofendes a la gente, ni siquiera sabes que sucedió. Los errores ocurren todo el tiempo.

Mi tío estuvo en la ciudad de Nueva York recientemente caminando por la calle. Los carteristas allí son muy buenos para chocar contigo y sacar tu billetera de tu bolsillo sin que te des cuenta. Es un arte. Se tropezó con un tipo que estaba trotando y al meter la mano en el bolsillo descubrió que le faltaba la cartera. Corrió hacia el tipo y le dijo con voz severa: "Deme la billetera". El corredor se detuvo en seco, sacó la cartera y se la entregó a mi tío.

Mi tío llamó a casa y dijo: "Marge, nunca adivinarás lo que me acaba de pasar". Ella dijo: "¡Pablo, tu billetera está en la mesa de la cocina! Por supuesto, envió la billetera que había robado accidentalmente con una nota de disculpa y sin remitente".

Los errores ocurren. Las personas se lastiman entre sí. Tú haces daño a la gente. No tienes que sumergirte y averiguar los motivos de esa persona. No tienes que subirte al tren de la locura de otra persona. Deja sencillamente que las cosas pasen más fácilmente, por tu propio bien.

Perdona como Dios te ha perdonado. No porque la gente merezca ser perdonada, sino porque tú mereces la libertad de perdonar y la alegría de la amistad. En el Padre Nuestro decimos: "y perdónanos nuestras deudas, así como nosotros hemos perdonado a nuestros deudores" (Mateo 6,12). Cuando alguien te hace daño, está en deuda contigo. Por justicia, te deben. Déjalo pasar. Tú tienes derecho a aferrarte a tu ira por el resto de tu vida, pero sólo tienes unos treinta mil días más de vida. No los desperdicies en guardar rencor que pueden destruir las relaciones en tu vida.

Puede que merezcas mantener ese pecado sobre la cabeza de tu conyugue por el resto de su vida. Puedes merecer que tus hijos te traten mejor de lo que lo hacen. Y tienes derecho a tener amigos que no te desagraden. Pero, sobre todo, tienes derecho a la felicidad. La gente no es fácil. Supéralo para que puedas experimentar la bendición que es tener amigos duraderos, significativos y solidarios con otras personas que son tan imperfectas como tú.

Regla 7: Descansar

...Para descansar un poco.
—Marcos 6,31

NO PUEDES TENER ALEGRÍA sin descansar de tu trabajo. Francamente, ni siquiera puedes recordar quién eres sin descanso. El mandamiento de descansar y adorar en el Sabbat cambió el mundo. Obedecer este mandamiento cambiará tu vida. En esta regla, simplemente nos enfocaremos en la parte del *descanso* del Sabbat. Al igual que la adoración, el descanso no es algo que se te entrega. Tienes que luchar por ello.

El farolero

Todos podemos caer en una especie de esclavitud de nuestro trabajo si no tenemos cuidado. Todos podemos perdernos bajo las ruedas aplastantes de nuestros horarios y "tareas pendientes" si no los mantenemos bajo control.

En el libro *El Principito*, un joven príncipe que viaja por el espacio visitó un pequeño y solitario planeta ocupado por un hombre pequeño, con un trabajo aparentemente pequeño.

Era un farolero. Su trabajo era bastante fácil hasta que, con los años, su planeta se aceleró, rotando 1.440 veces cada veinticuatro horas. Eso es 1.440 días y 1.440 noches por cada día de la tierra. Así que, fiel a sus compromisos y sin preguntar nunca por qué, el farolero interrumpió su conversación con el principito cada sesenta segundos para encender obedientemente su lámpara al atardecer y apagarla al amanecer.

El farolero era un hombre que se ganaba la vida haciendo un trabajo que acabó apoderándose de su vida. El trabajo le había servido para algo, y luego, a medida que el trabajo se aceleró, no supo cómo, cada aspecto de su vida termino sirviendo a su trabajo.

¿Alguna vez te has sentido así acerca de los "engranajes" de tu vida? Trabajo. Deportes de tus hijos. La lavandería. Todo sirve para algo, y luego, en algún momento, la balanza se inclina, no sabemos cómo, y se apodera de ti.

Te roba más de tu tiempo. Si no tienes cuidado, te roba tu sentido de ti mismo. Se siente como una esclavitud.

No te asustes.

El pueblo de Dios ha estado allí antes, y la salida de la esclavitud es bastante sencilla. Es el Sabbat.

Los esclavos y la revolución del Sabbat

La vida no era divertida como esclavo hebreo hace 3.300 años en Egipto. El trabajo nunca se detuvo. Nunca. "Esclavo" no era solamente un título de trabajo. "Esclavos" es lo que *eran*. Es decir, hasta que Dios intervino.

El Creador de todo sólo tenía Diez Mandamientos para la humanidad. A pesar de todas las acusaciones de que Dios es un "jefe" que nos pone un exceso de carga, esa es una lista bastante corta. Y uno de los diez es este: Quiero que te relajes de tu trabajo—haciendo tiempo para el descanso y para la adoración—un día a la semana. (O en lenguaje bíblico, "Mantén santo el Sabbat.") Suena bastante fácil. Pero piensen por un minuto en lo radicalmente contracultural que era el mandato de descansar en el mundo antiguo. En realidad, dio inicio a una guerra.

Toda la diferencia abismal entre los esclavos hebreos y su faraón era sobre descansar del trabajo. ¡Dios había mandado a su pueblo a una "fiesta santa"! Las famosas palabras de Moisés al faraón, de "deja salir a mi pueblo", fueron para que pudieran obedecer un mandamiento de Dios "para que celebre una fiesta en mi honor en el desierto" (Ex 5,1).

Esa orden de celebrar un festival, y en última instancia el mandamiento de guardar el Sabbat, era mucho más que una petición a los judíos de tener un descanso laboral para que pudieran abrir una cerveza con sus amigos, y el faraón lo sabía. Fue una declaración de guerra a todo un estilo de vida. Atacó el tejido mismo de su sociedad de esclavos. En la superficie, se trataba del descanso y la adoración, pero en un nivel más profundo, se trataba de la libertad. Se trataba de poner el trabajo, y al propio faraón, en su lugar. El Sabbat siempre ha puesto a los reyes y jefes en su lugar, diciéndoles: "Hay una agenda para la humanidad que es más alta que la tuya".

Los hebreos ya no existían para servir a los reyes terrenales. Su nombre no debía reducirse a funcionalidad, esclavo", sino elevado a relación, "el pueblo elegido de Dios".

El concepto de un Sabbat fue revolucionario, y todavía lo es cuando realmente lo vivimos.

Cómo el Sabbat cambió la sociedad

No nacimos para vivir como engranajes en una gran máquina social. No existimos para (inserte su faraón aquí). No somos un "medio para algún otro fin". De toda la creación, nosotros somos "la única criatura en la tierra que Dios quiso para sí mismo."[1] Dios nos hizo compartir su gozo, simplemente porque él nos ama. No somos seres trabajadores. Somos seres humanos. El pensamiento de *ti* (no lo que puedes *hacer*) deleitó a Dios. ¡Por eso existes!

> "Este es el día que el Señor ha hecho; regocijémonos y alegrémonos en ello".
> —Salmo 118,24

[1] Concilio Vaticano Segundo, *Gaudium et Spes* (1973), §24. (Este era el documento del Vaticano II favorito de Juan Pablo II, en el cual tuvo un rol escribiendo como cardenal joven.)

Tal vez una forma más sencilla de decirlo es esta: los humanos no son "herramientas". Si la Iglesia no se hecha para atrás en temas como el aborto, la pornografía, la eutanasia, la dignidad de los inmigrantes y los derechos de los trabajadores, no es por cómo pensamos sobre la política. Es por cómo pensamos acerca de los seres humanos.

Los seres humanos no existen por conveniencia, la fábrica, el gobierno, el comercio o las ciencias. Nuestras vidas no deben ser sacrificadas en los "altares" de ninguna de esas cosas. Todas esas cosas existen para servirnos. Cuando olvidamos nuestro lugar alto en la creación, nos convertimos en los engranajes de muchas máquinas. Cuando olvidamos nuestra dignidad, el trabajo no tiene límites, los derechos individuales ya no importan en relación con el gobierno, las personas se convierten en mercancías sexuales para la venta, y las ciencias no tienen límites cuando se trata de bioingeniería, manipulación genética o ensayos en humanos.

Nosotros importamos. Tenemos dignidad y derechos. Esa idea no vino de la nada. La idea de nuestro lugar alto por encima de las ruedas siempre giratorias de la civilización es la base de la cultura judeocristiana, que, a pesar de la disminución en la asistencia a la iglesia, todavía disfrutamos hoy en día, gracias al Señor del Sabbat que puso al faraón en su lugar.

Cómo te cambia el Sabbat

Guardar el sábado tiene el poder de mantenerte arraigado en quien eres y en el momento presente.

Volver a ti mismo

El Sabbat no se trata solo de una revolución cultural o social. El Sabbat nos llama a una revolución personal: rebelarnos contra la idea de que nuestro valor proviene de lo que hacemos, o que nuestra identidad no es más que nuestro título de trabajo.

Es tan fácil olvidarnos de nosotros mismos, de nuestras aficiones, de nuestra diversión, las cosas que disfrutamos de nosotros mismos y que a los demás les gusta de nosotros. Necesitamos darnos espacio para descansar para que podamos simplemente redescubrirnos de nuevo. Cada semana, somos convocados para recordar quiénes somos. Somos más que las cosas que hacemos o los roles que desempeñamos. Esto incluso se aplica a nuestros roles más nobles en la vida.

Un ministro conoció a mi madre una vez, y ella se presentó a sí misma como "la mamá de Christopher". Tuvo que preguntarle tres veces quién era ella antes de que ella se diera cuenta de lo que estaba haciendo. Cuando finalmente dijo su nombre, él reprendió: "Sí, eres María. No eres solo la mamá de Christopher". Incluso la maternidad no puede resumir todo lo que una persona es.

Nos objetivamos cuando no recordamos eso. Cuando nunca descansamos de nuestro trabajo, dar y servir, perdemos nuestro sentido de sí mismos. Nuestra identidad se funde en el gran caldero de la obra. En palabras de la vieja canción de Rush:

Sí, estoy trabajando todo el tiempo.
Me parece
Podría vivir mi vida

mucho mejor de lo que creo que soy.
Supongo que por eso me llaman,
me llaman el hombre trabajador.
Supongo que eso es lo que soy.[2]

Eres más que las cosas que haces. Ser disciplinado acerca de tu descanso semanal puede ayudarte a recordar eso. ¡Tan revolucionario! ¡Tan sencillo!

Volver al presente

Además de ayudarnos a recuperar nuestro sentido de sí mismos, el Sabbat es nuestra práctica semanal para abrazar el momento presente, que es el único tiempo que se superpone con la eternidad. Así es, abrazar él *ahora* nos ayuda a abrazar un poco de cielo en la tierra.

El Sabbat—ese día de descanso dado a los judíos—siempre había sido el sábado. Los cristianos transfirieron su Sabbat al domingo porque es el día en que Jesús resucitó, pero también, simbólicamente, porque es el octavo día de la semana. Por supuesto, estás pensando: "¡No hay sótano en el Álamo, y no hay octavo día!" ¡precisamente! No lo hay. Entrar en el octavo día significaba romper el ciclo del tiempo y entrar en la eternidad. En el octavo día, fuera de la rueda del tiempo, solo hay un momento,

> "Tomad sobre vosotros mi yugo*, y aprended de mí, que soy manso y humilde de corazón; y hallaréis descanso para vuestras almas."
> —Mateo 11,29

[2] Rush, "Working Man," recorded 1973, track 8 on *Rush*, Moon Records.

y es el momento que tendemos a pasar más por alto: El ahora. (Irónicamente, él *ahora* es realmente el único momento que realmente hemos tenido).

¿Cómo es el presente más parecido a la eternidad? Lo has experimentado. ¿Alguna vez has perdido la noción del tiempo con un ser querido? ¿O mientras mira las olas? ¿O en una gran comida? Cuanto más tiempo taladremos en un momento presente, más cerca estaremos de acercamos a perforar a través del velo del tiempo por completo. "¿Dónde ha ido el tiempo?", nos preguntamos.

Una experiencia similar se puede tener sentado con un ser querido que está cerca de la eternidad en una UCI. No es agradable como ver olas, pero no es menos real. La eternidad está abriendo sus puertas, y recibimos parte de la ráfaga de aire eterno del otro lado. Hay una pérdida vertiginosa del sentido del tiempo. Una extraña dulzura que perfora el dolor.

El Sabbat se trata de aprender a descansar en el *eterno ahora*. Ahí es donde Dios, y cada regalo de tu vida, te están esperando. Es por eso que el diablo siempre está trabajando para separarte de él.

A él le gustaría que vivieras en el "mega-ahora" que discutimos en la Regla 2. O excesivamente en el futuro, o en el pasado. Cualquier cosa menos el momento presente que se te ha dado. El libro de lectura obligada de C. S. Lewis, Cartas del diablo a su sobrino, trata sobre un viejo demonio, Escrutopo, que aconseja a su joven sobrino demonio sobre cómo arrebatarle un alma al "Enemigo" (El nombre de Escrutopo para Dios) y llevarlo al infierno. En un diálogo, le inculca a su joven alumno la importancia de mantener el alma alejada del momento presente a toda costa:

> Los humanos viven en el tiempo, pero nuestro Enemigo les destina a la Eternidad. Él quiere, por tanto, creo yo, que atiendan principalmente a dos cosas: a la eternidad misma y a ese punto del tiempo que llaman el presente. Porque el presente es el punto en el que el tiempo coincide con la eternidad...
>
> Nuestra tarea consiste en alejarles de lo eterno y del presente.... Queremos toda una raza perpetuamente en busca del fin del arco iris, nunca honesta, ni gentil, ni dichosa ahora, sino siempre sirviéndose de todo don verdadero que se les ofrezca en el presente como de un mero combustible con el que encender el altar del futuro.[3]

¡Ay! Para convertir cada regalo presente en "combustible necesario para cosechar el altar del futuro." ¿Cuántas veces he hecho eso, alguna vez trabajando para lo que se encuentra al doblar la esquina? John Lennon dijo que "la vida es lo que te pasa mientras estás ocupado haciendo otros planes".

Trabajas tan duro para "crecer", y luego trabajas para tu trabajo, luego para tu matrimonio; luego, mientras estás casado, trabajas para tener un niño; luego, cuando tus hijos vienen, estás trabajando para una vida más estable;

[3] C.S. Lewis, Cartas del diablo a su sobrino (https://www.ebookscatolicos.com/), 39–41

y una vez que tienes eso, trabajas para tu jubilación. El movimiento hacia adelante nunca se detiene. Se nos llama la "raza" humana por una buena razón.

Luego, en la jubilación, recuerdas los buenos viejos tiempos. Pero, ¿qué pasa si estás en los buenos viejos tiempos ahora?

No estoy diciendo que no debas hacer planes, pero cuándo dirás finalmente: "¡He llegado! ¡Estoy aquí! Claro, todavía tengo que trabajar duro, pero es hora de empezar a disfrutar de la vida". ¿Qué tal hoy? ¿Qué tal ahora mismo? ¿Qué tal si empiezas por ser realmente intencional acerca de hacer eso un día a la semana: tu Sabbat?

CÓMO HACERLO

Los judíos de la antiguedad se tomaban el Sabbat muy, pero muy en serio. Romperlo significaba la muerte. Hasta el día de hoy, se puede ver el punto más alto del templo en Jerusalén, donde el diablo llevó a Jesús para tentarlo (véase Lucas 4). Es donde el trompetista se situaba para anunciar el Sabbat. Y allí, tallado en la roca donde se paraba, había un lugar para colocar inmediatamente su trompeta cuando comenzara el día de descanso, porque si la llevaba por un momento después de que comenzara el Sabbat, habría sido condenado a muerte por trabajar.

Si bien la pena capital por romper el Sabbat terminó hace mucho, mucho tiempo (gracias a Dios), los judíos ultra ortodoxos hasta el día de hoy la observan con una intensidad que parece ser más una carga que un descanso. Tienen algo llamado "ascensor del Sabbat "en Israel.

Consideran que presionar un botón del ascensor es "un trabajo". Por lo tanto, tienen que estar de pie en el ascensor del Sabbat mientras esperan por mucho tiempo para recoger a los pasajeros de cada piso. Pueden tardar quince minutos en volver a su habitación desde el vestíbulo de un hotel en un ascensor del Sabbat.

La primera vez que estuve en Tierra Santa, no conocía esta costumbre y ofrecí mi ayuda a una familia que había estado de pie durante unos cinco minutos en un ascensor que estaba pitando. El padre me dijo que era un ascensor del Sabbat. Estoy seguro de que estaba pensando: "¡Sé cómo apretar un botón, peregrino!" (Yo habría estado pensando lo mismo.)

Me sorprendió su respuesta y estaba agradecido de que los cristianos ya no tengamos que observar la letra de la ley como nuestros hermanos mayores en la fe, los judíos ultra ortodoxos, todavía lo hacen. Pero luego pensé más profundamente... hay algo en la letra de la ley que hace que sea fácil preservar el corazón de la ley. Si los judíos ultra ortodoxos van demasiado lejos en el cumplimiento de estas leyes, nosotros vamos demasiado lejos al olvidarlas.

Por lo tanto, aquí hay algunas cosas que no son dispendiosas para ayudarte a preservar el espíritu del Sabbat en tu vida. Como siempre, los "cómo hacerlo" para esta regla son muy sencillos. Pero si te apegas a ellos, transformarán tu vida.

1. Haz la guerra al trabajo, un día, cada semana.

Winnie the Pooh dijo: "La gente dice que nada es imposible, ¡pero yo no hago nada todos los días!"

Resulta que "no hacer nada" es bastante difícil. Es por eso que tendemos a llenar cada momento del día con "algo". Si estás sentado quieto, revisas ese teléfono. Si es un día soleado, cortas ese césped. Si estás disfrutando de tu vida, te sientes un poco culpable de no hacer los platos. Es como si hubiera un pequeño faraón invisible a nuestras espaldas azotándonos y empujándonos hacia adelante.

El coronavirus me enseñó a frenar mejor que nunca. La cuarentena desató algunas bendiciones poderosas en mi vida. También absolutamente apesto. No se equivoquen, hubiera preferido que nunca sucediera. Pero cada prueba tiene una bendición escondida, y el COVID-19 no fue la excepción. Probablemente fue la única vez en mi vida, y en la vida de millones de personas, cuando el tren del movimiento perpetuo hacia adelante se descarriló y pude reexaminar todo. La mayoría de la gente solo puede hacer eso en sus lechos de muerte.

Sacó a relucir una de las mejores confesiones de mi vida. Me encontré sin viajar por primera vez en diez años. Vi las formas en que mi horario de viaje semanal ha impactado a mi familia. No cambiaría mi trabajo por nada, pero si mis ojos estuvieran más abiertos a los estragos que los viajes habituales de un padre tienen en los hijos, habría hecho algunas cosas de manera muy diferente.

Tengo un trabajo muy emocionante. Amo a mis hijos más que a mi trabajo (más que a cualquier cosa en realidad), pero en mi exuberancia por mi trabajo, no creo que siempre lo hayan sabido. "Seguramente ese viaje para filmar en Alaska debe ser más emocionante que jugar a *toboganes y escaleras* conmigo", pensaron. Dar un paso atrás en mis viajes me permitió ver cómo algunas de esas mentiras se habían arraigado en la conciencia de mis hijos y cómo podría haberlo hecho mejor para eliminarlas.

Durante el coronavirus, me encontré "sin hacer nada" más a menudo, jugando más con mis hijos. Dando más paseos. Rezando más rosarios familiares. Todavía estaba muy ocupado, pero de una manera diferente, y encontré mi tiempo para hacer yo mismo las pequeñas cosas estúpidamente sencillas que debería haber estado haciendo todo el tiempo. Pero es fácil de olvidar esas cosas cuando tu pequeño planeta ha acelerado hasta 1.440 puestas de sol al día.

Se lo confesé a mi sacerdote. Me disculpé con mis hijos. Fue increíblemente sanador para mí escuchar: "Te perdono, papá. Y no podría haber pedido un mejor papá". Los niños pueden ser muy misericordiosos.

Para citar a Pooh de nuevo, "No hacer nada a menudo conduce a lo mejor de algo". El domingo, no hagas nada. Lo mejor de algo llenará el espacio. El domingo no es el día para ponerse al día con el "trabajo del trabajo", y no es el día para ponerse al día con las tareas domésticas. El domingo es el día para no hacer trabajo.

Si no se hizo en los otros seis días de la semana, no te preocupes, te estará esperando el lunes. Siempre, siempre, siempre habrá trabajo por hacer. Tienes que elegir no hacerlo a veces, o te robará todo lo que más importa en la vida. No trabajas para que, una vez este hecho, puedas llegar a tu descanso. Tienes que decidir, en algún momento, simplemente descansar incluso si el trabajo no está hecho, porque el descanso, el tiempo en familia, la oración y el autocuidado son más importantes que las cosas que "tienes que" hacer.

Y esto no es sólo una sugerencia de Chris para que puedas preservar a su familia y disfrutar de lo que más importa en la vida. Este es un Mandamiento de Dios.

Y, además de la orden de descansar y adorar los domingos, los animo a tener un tiempo límite firme para trabajar todos los días de la semana. Segmenta mejor tu vida. Cuando llegue el momento de trabajar, trabaja. Cuando llegue el momento de parar y disfrutar de tu familia, deja de trabajar y disfruta de tu familia. Rechaza la preocupación de sentir que mientras haces una cosa deberías estar haciendo el otra. No se puede servir a dos maestros a la vez. Hay un tiempo y un lugar para todo (ver Ecl 3).

Los judíos tienen un ritual sencillo de encender una vela mientras el sol se pone el viernes por la noche para marcar que el tiempo de descanso y adoración ha comenzado. Recomiendo hacer lo mismo mientras el sol se pone el sábado por la noche. También recomiendo tener un pequeño ritual todos los días para delimitar el trabajo del descanso. Cada día, cuando he terminado de trabajar, cierro mi computadora portátil y digo en voz alta: "¡Trabajo! ¡Terminado!". Es muy simple, pero realmente me ayuda a la transición mental del trabajo al descanso.

2. Disfruta los momentos.

El descanso no se trata de encontrar distracciones superficiales de la realidad. Se trata de apoderarse de la vida y vivirla más profundamente. ¿Cómo es eso? Como es el caso con las realidades más profundas, en realidad es bastante sencillo. Te daré solo algunas ideas:

Para y huele las rosas

Fui a un viaje con mi familia recientemente a un lugar cálido, y me la pasaba perdiendo a mi hijo de dieciocho años de edad. Actualmente es médico de combate en el Ejército de los Estados Unidos. Estoy muy orgulloso de él. Pero cada vez que lo perdía, no estaba enterrado en su teléfono. Estaba enterrado en una flor. Es como Ferdinando el Toro.

"Ethan, ¿dónde estabas?"

"Papá, tienes que venir a oler esta gardenia", fue la respuesta.

Dios nos dio el olor de las flores para que nos tomáramos un momento para olerlas. ¿Alguna vez has escuchado el dicho: "Detente y huele las rosas"? ¿Por qué tomamos eso en sentido figurado? Casi puedo escuchar a Dios en el cielo mirando hacia abajo y gritando al mundo, "¿Qué estás esperando? ¡Adelante! ¡Huélelas! ¿Por qué tan pocas personas realmente las huelen?!"

Prueba tu comida

Un amigo mío es un chef profesional, y me confesó: "Los chefs solemos ser los peores para sentarnos y disfrutar de una buena comida. Comemos comida rápida todo el tiempo".

Qué trágico. El olor de la comida exquisita bajo sus narices todo el día, y sólo tienen tiempo para devorarse de una hamburguesa barata en el coche en el camino a casa. Corrección: Solo se toman tiempo para comerse una hamburguesa barata. Literalmente, solo toma unos dos minutos más respirar profundamente, pensar en el sabor de la comida en la boca y disfrutarla antes de pasar a tu próximo bocado.

Disfruta de lo que tienes y deja de soñar con lo que quieres

No tienes que ser rico para empezar a saborear "las cosas más finas".

Cuando trabajaba en la pastoral juvenil en Los Angeles, regularmente llevaba a mi grupo de jóvenes dos horas al sur a los barrios de casas humildes de Tijuana. Un hombre "pobre" que encontré me dejó una marca imborrable. Se llamaba Jesús. Me invitó a su casa. Estaba muy orgulloso de ello. Él mismo la había construido con tablas y lonas. Era aproximadamente del tamaño de mi habitación. Su piso de tierra estaba barrido y limpio. No sabía que podías barrer un piso de tierra y dejarlo limpio. La ropa estaba lavada y perfectamente doblada en los estantes que había construido. Me presentó a sus dos hijos, a los que llamaba sus "gorditos". Su ropa estaba mejor prensada que la mía. Su cabello estaba más cuidadosamente peinado que el mío también. Me mostró la silla que había rescatado de una camioneta y que colocó afuera en su "porche" y me habló de la hermosa vista de la luna que tiene desde allí. Jesús estaba muy orgulloso de lo poco que tenía. Había trabajado duro para ello. Y supo disfrutarlo. En nuestros quince minutos juntos, pude sentir su pasión por la vida, su amor por su familia y su espíritu de gratitud. Me di cuenta de que yo era el pobre. Él era más feliz que aquellos que tienen mucho, mucho más y que no se toman el tiempo para disfrutarlo.

No tienes que ser rico para vivir como un rey. Dios te ha dado personas para amar y disfrutar. Te ha dado puestas de sol y salidas de la luna que superan a las pinturas más grandes del mundo. Y he probado hamburguesas a la parrilla que rivalizan con el sabor de los mejores filetes del mundo. Historia real. Haz la intención de detenerte, saborear y disfrutar de la vida como la tienes ahora (no como te gustaría que fuera), especialmente los domingos.

3. No descanses perezosamente.

El descanso es un asunto serio. El ocio no se trata solo de no trabajar o de llenar el tiempo con distracciones sin sentido (aunque ciertamente tienen su lugar). Irónicamente, cuando lo haces bien, ¡el ocio y el descanso toman un poco de esfuerzo!

Un filósofo alemán, Josef Pieper, escribió un libro en 1948 que necesitamos ahora más que nunca: "*Leisure: The Basis of Culture*" (Ocio: La base de la cultura). En el libro, explica cómo el descanso está en la base de cualquier pensamiento, y cultura superior. Si los romanos o los antiguos hawaianos tenían una cultura altamente desarrollada, fue porque al menos una parte de su gente dejó de trabajar con la regularidad suficiente y durante el tiempo suficiente para dedicarse al estudio, la narración de historias y la religión. La misma palabra "escuela" tiene sus raíces en la palabra griega para la relajación (σχολη), que condujo a la palabra latina *scola* y la palabra inglesa *school*. Las personas pensantes provienen de aquellos que han logrado dejar su trabajo a un lado.

Has escuchado la vieja frase de que "las manos ociosas son el taller del diablo". Pieper señala que no es pereza sino "una incapacidad de disfrutar, que [va] junto con la ociosidad ... [que es] la inquietud de trabajar por trabajar". Un coche en marcha en neutro no está quieto. Tiembla sin ir a ninguna parte. Volverse "ocioso" no es lo mismo que descansar. La ociosidad es estar constantemente inquieto con cosas pequeñas y sin importancia. Descansar es una inmersión profunda e intencional en la vida. Pieper continúa: "El ocio es una forma de esa quietud que es la preparación necesaria para aceptar la realidad".[4] Entonces, ¿descansas de una manera que eleva tu espíritu, o lo baja unos grados? ¿De una manera que te pones en contacto con la realidad, o te separas de ella, empañando tu espíritu? ¿De una manera que te lleva a un encuentro más profundo con otras personas, o con tu teléfono? Con demasiada frecuencia, cuando necesitamos descanso, buscamos la fruta que cuelga más bajo. Recuerda, nuestros cerebros están cableados para conservar calorías para que podamos sobrevivir. En un nivel muy real, estamos construidos para la pereza.

Es por eso que, cuando necesitamos recargarnos de energía, a menudo optamos por "clickbait" (la imagen

[4] Maria Popova, "Leisure, the Basis of Culture: An Obscure German Philosopher's Timely 1948 Manifesto for Reclaiming Our Human Dignity in a Culture of Workaholism," *Brain Pickings*, accessed September 15, 2020, https://www.brainpickings.org/2015/08/10/leisure-the-basis-of-culture-josef-pieper/.

que te tienta a hacer clic), desplazándonos por "Twitter o Reddit", o leyendo noticias. Y dado que los vendedores de internet no están preocupados por tu felicidad, sino por poseer tus ojos para que puedan vender espacio publicitario, "clickbait" a menudo está orientado a captar tu atención con algo molesto. Algo tan malo que no se puede mirar hacia otro lado. O en el mejor de los casos, algo que distrae la mente. Ese no es el tipo de descanso que forma la base de la cultura o una vida feliz.

Tu trabajo es guiar tu corazón y tu mente a cosas que te elevan y alimentan tu alegría.

¿Qué tipo de música te hace realmente feliz? ¿Música que es profundamente conmovedora y significativa, o música que se clasifica más fácilmente como "ruidos fríos"?

¿Qué tipo de lectura te llena de esperanza? ¿"Tweets" o libros reales?

¿Qué tipo de imagen alimenta tu alma? ¿"Clickbait" o bellas artes?

Tu sabes las respuestas a esas preguntas, pero también sabes cuál es más fácil de obtener y fácil de consumir. No seas perezoso. No optes por la ociosidad y el "clickbait" cuando tu alma anhela la verdad real, la belleza y la bondad. Ese tipo de descanso puede ser un trabajo duro, pero después de tu Sabbat, tu espíritu se refrescará y construirá, y no se aturdirá.

Regla 8: Servir

Tened entre vosotros los mismos sentimientos que Cristo. —Filipenses 2,5

PARA EXPERIMENTAR EL VERDADERO GOZO, tu corazón tiene que cambiar de egocéntrico a centrado en el otro. No, este no es un capítulo diseñado para culparte por no ser voluntario en tu comedor de beneficencia local. (¡No es que eso sea algo malo!) Pero este capítulo trata de algo más. Se trata de transformar tu deseo, tus metas de vida y la forma en que ves el éxito. Se trata de transformar tu actitud.

Este capítulo también contiene la mayor ironía en este libro: la paradoja de la cruz, la ley espiritual de que la única manera de encontrar la alegría es olvidar tu propia búsqueda y ayudar a otros a encontrarla. La única manera de brillar verdaderamente es ayudar a otros a brillar. La única manera de que alguien "se encuentre completamente a sí mismo [es] entregándose sinceramente a sí mismo".[1]

[1] Vaticano II, *Gaudium et Spes*, §24.

En resumen: Si realmente quieres vivir, tienes que dar tu vida.

Un mensaje desde la playa de Omaha

(*También compartí esta historia en mi programa de asesorías en video "I AM"*).

Conozco a una mujer que visitó la playa de Omaha en Normandía, Francia, donde ocurrió la famosa invasión del Día D. Allí conoció a un veterano que no esperaba encontrar. Él había sido un soldado nazi en ese día infame, y le contó su historia: el terror que sintió al ver una enorme flota de barcos que venían hacia la playa, y el momento que cambió su vida para siempre.

A medida que las tropas aliadas iban ganando terreno, le quedaba una sola bala en su fusil, y pensó que era el final. Un soldado estadounidense le atacó, y él apuntó y disparó al soldado en su estómago.

El soldado cayó de rodillas y se quitó el casco. Luego, rodó sobre su espalda, hizo la señal de la cruz y murió. "Fue en ese momento", dijo el anciano, "que me di cuenta de que Hitler no era Dios".

Sobrevivió milagrosamente ese día y DESERTÓ del ejército nazi. Fue capturado y enviado a una prisión de campo de trabajo, y tal vez aún más milagrosamente, terminó sobreviviendo a la guerra y visitando Normandía setenta y cuatro años más tarde para recordar la batalla y honrar al soldado que cambió su vida.

No sé cómo se llamaba ese soldado. Algún día lo encontraré, en el otro lado. Pero sí sé esto: Era más que un soldado. Era un hombre vivo. Y se convirtió en un hombre plenamente vivo al dar su vida.

Ningún héroe, ninguna inspiración, ningún santo, ninguna persona a la que hayas admirado alguna vez fue egocéntrico. Si quieres ser mediocre, omite este capítulo. Si quieres vivir una vida inusualmente heroica como la de ese soldado que murió en la playa de Omaha, y con una alegría poco común, sigue leyendo.

Revisa tus aspiraciones: no dejes que tu vida sea solo éxito o dinero

Los libros de autoayuda a menudo se centran en *tu* éxito. Eso no es poco importante, pero su importancia está definitivamente sobrevalorada. Lo que *realmente* quieres es ser feliz. Tu propio éxito no te hace feliz.

La felicidad suele estar siempre fuera del alcance de los "obsesionados con el éxito" que ponen su felicidad en sus logros. Esto se debe a que las personas altamente motivadas (y yo soy uno de ellos) generalmente encuentran que cuando alcanzan una meta, cambian las reglas del juego. Apuntan a cosas más grandes. Mejores. Y no hay nada de malo en eso, siempre y cuando no estés viviendo bajo la ilusión de que "eso" te hará feliz porque "eso" siempre está un paso por delante de ti.

Es como el final del arco iris. ¿Alguna vez has intentado pararte debajo de uno? Lo he hecho. Desaparece o avanza cuando se llega a él. Lo más cerca que estuve fue en Nuevo México. Fue increíble. Justo ahí, frente a mí, vi que un arcoíris golpeaba el suelo. Irónicamente, la parte de la tierra bañada por su luz deslumbrante y multicolor era... una tienda "Dollar Tree". Resulta que no había una olla de oro al final del arco iris. Sólo una gran ganga.

Pero yo divago... hacer tu vida acerca de tu éxito al final del arco iris conduce a un "anhelo en círculos". Quieres algo. Lo consigues. Quieres algo nuevo. El corazón es un océano turbulento de anhelos porque está hecho para el cielo. Es por eso que cada meta alcanzada conduce a una nueva meta. Si nunca se siente como "suficiente", es porque no lo es.

Las culturas altamente impulsadas, donde el éxito mundano inimaginable es realmente posible, no son más felices que otras. Tal vez menos. Silicon Valley y Beverly Hills no están llenos de tantas caras sonrientes como Duverger, Haití, o Cebú, Filipinas. Lo sé porque he estado allí.

Ser alegre te hace más propenso a tener éxito con las oportunidades que se te han dado. No al revés. Ese es un hecho bien documentado: 225 estudios en el *Psychological Bulletin* (Boletín Psicológico) encontraron que el éxito no te hace feliz. Ser feliz te prepara para el éxito.[2]

Mucho y mucho dinero tampoco te hace más feliz. Si bien una cierta línea de base de dinero puede aumentar la felicidad, porque te lleva a un lugar de seguridad general, una vez que tus necesidades básicas están cubiertas,

[2] Shawn Achor, "Positive Intelligence," *Harvard Business Review*, January–February 2012, https://hbr.org/2012/01/positive-intelligence; see also Christy Matta, "Does Success Lead to Happiness," *Psych Central*, July 8, 2018, https://psychcentral.com/blog/does-success-lead-to-happiness/.

no hace nada para aumentar tu alegría. Nada.[3] Estudios exhaustivos incluso han encontrado que los ganadores de la lotería, aunque más satisfechos y cómodos (obviamente), no son más felices que antes de ganarse la lotería. Ni siquiera un poquito más feliz.[4]

Puedo comprar más sushi y sake que cuando tenía veintitrés años. Lo disfruto. Pero disfrutar no es lo mismo que alegría. No soy una persona más feliz ahora que de vez en cuando puedo pagar el sushi que cuando tenía veintitrés años lo más que podía permitirme era una hamburguesa y una cerveza barata con amigos. O, mejor dicho, si soy más feliz, no es el sushi lo que me ha hecho así. Eso es cierto de tu vida también. Tus "cosas" te hacen más cómodo, pero no más feliz.

No estoy criticando los placeres más finos de la vida. De hecho, creo que Dios se deleita cuando te deleitas en sus dones. Es por eso que te los dio. Pero, si crees que tu alegría depende de las cosas que disfrutas, arruinarás esos regalos. Te aferrarás a ellos con una desesperación que los hace imposibles de disfrutar realmente. Es por eso que las personas ricas con los corazones equivocados son tan miserables. Qué triste ironía.

"Dios ama al que da con alegría".
—2 Corintios 9,7

[3] Larry Alton, "How Much Money Do You Need to Be Happy?," *Inc.*, June 1, 2018, https://www.inc.com/larry-alton/how-much-money-do-you-need-to-be-happy.html.

[4] Gina Martinez, "Everything You Know about the Fate of Lottery Winners Is Probably Wrong, According to Science," *Time*, October 18, 2018, https://time.com/5427275/lottery-winning-happiness-debunked/.

Si cosas como el dinero y el poder pudieran comprar felicidad, entonces las personas exitosas serían consistentemente las personas más felices en la oficina. Cuanto más te alejes del portero a la oficina hacia el último piso del edificio, más felices serían las personas. Pero todos sabemos que la persona más feliz es a menudo la recepcionista, mientras que el jefe es el tipo de persona que la mayoría de la gente quiere mantener alejado. Según un triste estudio, el 57 por ciento de los empleados dejaron su trabajo debido a su gerente, mientras que un 32 por ciento adicional que se quedó, pensaron en irse por culpa de él o ella. Eso es un montón de personas que no quieren estar cerca del hombre más exitoso en el edificio.[5]

Probablemente no te estoy diciendo nada nuevo. Has escuchado la frase de que el dinero no puede comprar la felicidad. Tampoco el éxito. Así que, déjame llevar esto de una reflexión a un desafío: ¡Dejen de quererlo tanto! El 80 por ciento de las personas pasan por la vida convencidas de que más logros, que suelen cuantificar como más dinero, equivalen a más felicidad.[6] Y debido a que eres "persona", probablemente seas uno de ellos. ¡Deja de ser uno de ellos! Deja de dejar que tu corazón crea la mentira de que la felicidad radica en más éxito, más notoriedad, más cosas o más ceros en tu cuenta bancaria. Deja de cavar en busca de tu tesoro en el lugar equivocado.

[5] "New DDI Research: 57 Percent of Employees Quit Because of Their Boss," *PR Newswire*, December 9, 2019, https://www.prnewswire.com/news-releases/new-ddi-research-57-percent-of-employees-quit-because-of-their-boss-300971506.html.

[6] Alton, "How Much Money Do You Need to Be Happy?" *Inc.*

Las Escrituras preguntan en Isaías 55,2: "¿A qué gastar... y fatigarse por lo que no sacia?"

Empieza a decirte la verdad a ti mismo. Ponte en el asiento del conductor de su propio corazón. Deja de querer las cosas sin querer. Tu corazón es hermoso y poderoso, pero también es tonto. No sigas tu corazón. Todo es impulso, ningún pensamiento. El corazón es un caballo. Pero necesita un poco de freno, o te arrastrará a la tierra de ninguna parte.

¡Crear la vida sobre ti y lo que logras y cuánto obtienes no funciona! Sólo el camino de la cruz, el camino de un soldado en la playa de Omaha lo hace.

La primera pregunta de Jesús a la humanidad en el Evangelio de Juan es "¿Qué buscáis?" (Juan 1,38). Él quiere despertarnos a lo que está sucediendo dentro de nuestros corazones. ¿Eres el dueño de tus anhelos? ¿O vas por la vida con un anhelo sin control por esa casa / yate / trabajo / dinero / logro, porque estás convencido de que te traerá alegría cuando sabes que no lo hará?

Tu corazón está anhelando esas cosas porque piensa que va a encontrar la felicidad allí. Pero eso sería tan necio como que tu corazón ambicionara un montón de rocas.

"¿Por qué anhelas esas rocas, oh mi corazón?" "¡Porque me hará feliz!", dice tu corazón en respuesta.

La mayoría de las personas no están lo suficientemente calladas como para reflexionar sobre qué anhelos están guiando sus vidas, y si son los anhelos correctos o no. Necesitas ser diferente a "la mayoría de la gente". Sé consciente de tus anhelos, y luego deja que tu intelecto le diga a tus anhelos a dónde ir. Necesitas ser consciente de tus anhelos y tomar medidas para dirigirlos, o en tu búsqueda de alegría, terminarás miserable.

El servicio corrige y dirige nuestros deseos.

El servicio es un remedio para tu miseria

A Maslow se le ocurrió la famosa jerarquía de necesidades: su pirámide psicológica que culmina en la "autorrealización". Lo que la mayoría de la gente no sabe es que, hacia el final de su vida, se dio cuenta de que hay algo, incluso más alto que la autorrealización, y eso es la auto-trascendencia.[7]

Solo puedes alcanzar ese tipo de alegría de nivel superior haciendo que la vida sea algo más que tú. Y no importa cuán difícil sea tu vida en este momento, y no importa cuántas limitaciones sufras, puedes comenzar a experimentar la alegría de llegar más allá de ti mismo a través del servicio.

La beata Chiara Badano, una santa adolescente que murió de cáncer a los dieciocho años, solía caminar por el hospital con dolor por el crecimiento de un tumor en su columna vertebral para aconsejar a los pacientes con depresión. Cuando le decían que descansara, ella respondía: "Tendré tiempo para descansar más tarde". Cuando ya no podía caminar, dijo: "Mira, no me queda nada,

[7] John Messerly, "Summary of Maslow on Self-Transcendence," *Reason and Meaning* (blog), January 18, 2017, https://reasonandmeaning.com/2017/01/18/summary-of-maslow-on-self-transcendence/.

pero todavía tengo mi corazón, y con eso todavía puedo amar". Si miras su foto, puedes ver la alegría alucinante en su rostro mientras yacía en su lecho de muerte. No importa dónde estés en la vida, puedes aprovechar la alegría del servicio.[8]

La Madre Teresa contó una vez la historia de dar un tazón de arroz a una familia pobre. Apartaron una mitad y se quedaron la otra. Cuando ella los animó a comerlo todo, le dijeron que la otra mitad era para sus vecinos. La santidad escondida en los barrios marginales del mundo es asombrosa.

Llegué a predicar cuando estuve en Haití. Es una lección de humildad predicar a una multitud cuyas vidas son

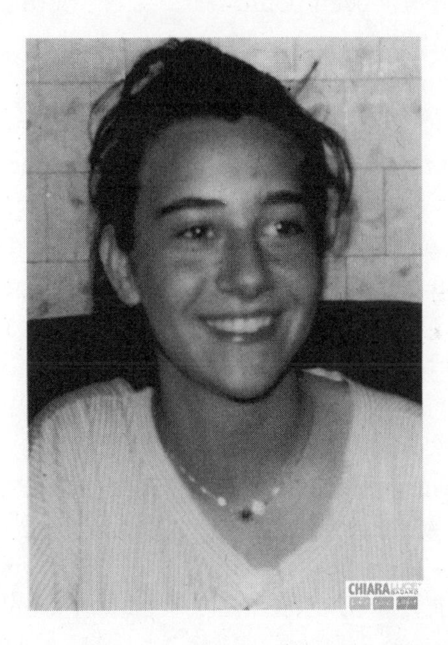

[8] Para aprender más acerca de esta mujer alegre, visita ChiaraBadano.org.

mucho más difíciles que la propia y cuyos corazones son mucho más fuertes. Les dije, a gritar "Amén", que encontraran a alguien con menos que ellos y los ayudaran. Les dije que siempre hay alguien que necesita más que tú, y Dios te está dando algo para que puedas dárselo a ellos. Cada vez que haces eso, te haces rico por dentro. Eres tan rico como cualquier filántropo por ahí. Cuando das, tienes un espíritu de abundancia, de riqueza, de realeza, no importa cuán pobre seas. Te conviertes en el rico. Ana Frank dijo: "Nadie se ha vuelto pobre por dar". Por el contrario, nuestros corazones se enriquecen.

"No buscamos una alegría superficial sino más bien una alegría que proviene de la fe, que crece a través del amor desinteresado... Nos damos cuenta de que la alegría es exigente; exige desinterés."
—Juan Pablo II

Y eso no solo se aplica al dinero y la comida, sino al tiempo y la atención. Cuando tengas dolor de alguna manera, sal de tu cabeza y sirve a otra persona. ¿Estás solo? Descuelga el teléfono y llama a un amigo que esté más solo que tú. ¿Estás obsesionando con las malas rachas en tu vida? Llama a alguien que ha tenido un camino más difícil que tú. Anímalos. ¿Estás quebrado? Ayuda a alguien que está más quebrado que tú. Te levantará. Y te dará alguna dosis de perspectiva.

Dios escogió necesitarnos. Eligió confiar en nosotros. Esto se debe a que, si bien podía servir a todas las necesidades de la humanidad por sí mismo, quería compartir su alegría con nosotros, una alegría que solo podemos experimentar a medida que amamos y servimos a los demás.

Pierde tu vida y la volverás a encontrar. Trata de salvar tu vida y la perderás (ver Mateo 16,25). Ese es el camino de Jesucristo. Ese es el camino de la cruz.

¡MUERE! ¡MUERE! ¡MUERE!

... De acuerdo. Tal vez el título de esta sección sea un poco dramático. Pero también lo fueron las palabras de Jesús a sus discípulos.

"Toma tu cruz y sígueme", dijo (véase Mateo 16,24). Esa declaración no nos sacude hasta la médula como debería. Dos mil años después de la edad de las crucifixiones y hemos esterilizado la cruz, pero para darles un poco de contexto, si él hubiera dicho eso hoy, él habría dicho: "Siéntate en tu silla eléctrica y sígueme". Así de inquietante sonaba esa frase en los oídos palestinos del primer siglo. ¡MUERE! Y te prometo que encontrarás la vida para la que fuiste hecho. Pero sólo si te mueres a ti mismo.

No estoy diciendo que debas matar tus sueños. Adelante. ¡Logra! ¡Conquista! ¡Ten éxito! ¡Prospera! Pero si quieres ser feliz haciendo todo eso, no hagas que todo sea acerca de ti mismo.

Como el gozoso Pablo escribió a los filipenses desde las cadenas, "Tened entre vosotros los mismos sentimientos que Cristo" (Fil 2,5). Pablo nos está invitando a cambiar nuestros viejos patrones oxidados de pensamiento por una nueva mente. Nuestras viejas mentes evolucionaron para obsesionarnos con la auto preservación, "pero nosotros tenemos la mente de Cristo"

(1 Corintios 2,16). Pablo continúa, "El cual, siendo de condición divina, [Cristo] no reivindicó su derecho a ser tratado igual a Dios, sino que se despojó de sí mismo tomando condición de esclavo" (Fil 2,6–7).

Pablo no solo nos está exhortando a hacer cosas de "servicio". Él quiere que pienses como un siervo. Él no quiere que hagas los platos con un chip en el hombro. Él no quiere que cortes el césped como si le estuvieras haciendo un favor al mundo. Él no quiere que pulas tu halo antes de servir a los pobres. Él quiere que te consideres a ti mismo un siervo que sólo hace su trabajo. Como dice Jesús, "De igual modo vosotros, cuando hayáis hecho todo lo que os han mandado, decid: 'No somos más que unos pobres siervos; sólo hemos hecho lo que teníamos que hacer'" (Lucas 17,10). Esas suenan como palabras duras, pero Jesús las habló porque quiere que tu gozo sea completo. Y si no tomas la mente de un siervo, no puedes tener alegría.

El camino secreto a la alegría

Tomar la mente de un siervo no sólo te hace más santo; te hace más feliz. No solo desbloquea tu potencial como ser humano. Libera un diluvio de gozo en tu alma. Veo que este principio se reproduce en mi propia vida constantemente.

Tuve una pelea con mi esposa recientemente. Fui a orar después de esta pelea y me quejé a Dios, "Señor, ¿siempre tiene que ser acerca de ella? ¿Por qué no puede ser sobre mí? Quiero decir, realmente, ¿por qué no puedo satisfacer mis necesidades? ¿Por qué siempre tengo que preocuparme por sus necesidades?" (Fue una oración muy madura. No.)

Dios me habló en ese momento, no con una voz audible, sino con una voz espiritual inconfundible que no era la mía que irrumpió en mi conciencia. Él dijo: "Sí, Chris, puede ser todo acerca de ti. Tu tienes todo el derecho de hacerlo sobre ti, sobre tus necesidades, sobre tus intereses, y olvidarte de ella y sus necesidades. Tienes todo el derecho a no vivir una vida extraordinaria. Tienes todo el derecho a ser un hombre común y corriente. Tienes todo el derecho a no convertirte en santo". "Bien, Señor. Retiro mi oración". La alegría volvió a mí en ese momento. Y la cordura.

Es la paradoja de la cruz que cuando nos perdemos, nos encontramos a nosotros mismos. Los días que me despierto y pienso: "A mi esposa le faltan estas cinco cualidades de un cónyuge perfecto. ¡Debería decírselo!". —esos no son mis mejores días.

Los días que me despierto y pienso: "¿Cómo puedo hacer de mi esposa la esposa más feliz del mundo hoy?" Termino siendo el marido más feliz del mundo. ¡No lo dudes!

CÓMO HACERLO

Entonces, ¿cómo "*meta tu noia*" en la mente de un siervo para que puedas vivir con una libertad y alegría más profundas? ¿Cómo conviertes esa mente tuya, forjada en los fuegos de millones de años de evolución para obsesionarte con la auto preservación, en una mente que abraza la cruz? Aquí hay tres consejos sencillos (como siempre):

1. Reclámalo. En voz alta.

Soy un fan de articular verdades a ti mismo como parte de tu día. Recuerda, Dios no te reveló su verdad, así que esperarás a que yo te la predique. Necesitas predicarte a ti mismo. En voz alta.

Mi amigo Justin es un hombre muy ocupado. Es un padre amoroso de nueve hijos. (¿católico? Sí.) Es dueño de más de un negocio. Y generalmente le va bien en la vida. Pero creo que la clave de su felicidad (y éxito) radica en la forma en que mentalmente establece el rumbo de su día. Cuando se despierta, y antes de empezar su día, cae de rodillas, besa el suelo y dice una palabra en latín: *Serviam.*

En la tradición católica, Lucifer, que significa "portador de luz", era el más hermoso de los ángeles, pero su caída, y la caída de los innumerables ángeles que trajo con él, fue provocada por su grito de batalla de ¡*Non serviam*! "¡No serviré!" Y así se convirtió en un demonio, ya no en un portador de luz, sino en la encarnación de la ausencia de la luz. Justin dice: "Quiero que mi lema sea lo opuesto al lema de Satanás. *Serviam.* Serviré".

Cuando tomamos la mente de un siervo, nos convertimos en una fuente de luz. Brillamos como el sol en cada lugar al que vamos. Cuando nuestras vidas repiten el lema de los ángeles oscuros, nos convertimos en lo opuesto a un sol. Espiritualmente, nos convertimos en agujeros negros. Un agujero negro no es más que una estrella que se ha colapsado sobre sí misma. Todo su potencial y potencia se vuelca en su interior. Con el tiempo, su atracción gravitatoria hacia adentro se vuelve tan intensa que ni siquiera la luz de las estrellas cercanas puede escapar de ella, y los astrónomos saben que está allí cuando descubren un embudo de luz que se succiona de una estrella cercana a la nada.

Cuando entras en una habitación y a veces tienes tu propio "horizonte de eventos" a tu alrededor, y la gente sabe que necesitan mantenerse al margen. Es posible que no puedas cambiar tu estado de ánimo fácilmente en esos momentos, pero eso está bien. Tu estado de ánimo no importa tanto como tu voluntad. Dilo en voz alta, *serviam*, y comienza a cambiar tu pensamiento.

2. No te quedes ahí. Haz algo.

Necesitas contribuir para ser feliz.

Un viejo amigo mío me dijo una vez: "No tengo nada que dar". Trágicamente, acabó con su vida una semana después de haber dicho esas palabras. Eso es una mentira del fondo del infierno. Nunca le des permiso o poder a esa mentira.

Todo el mundo puede dar algo. Entonces, ¿por dónde empezar?

Servir a los pobres

Si quieres desperdiciar tu vida, hazlo en los barrios marginales de una tierra lejana al servicio de los pobres. No lo hagas con heroína o suicidio. Irónicamente, si tiras tu vida en los barrios marginales de una tierra lejana, probablemente la encontrarás.

He estado en los lugares más pobres de la tierra. He conocido huérfanos en lugares que están invadidos por niños sin padres. Es increíble lo mucho que quieren ser cargados. ¿Sientes que no tienes nada que dar? ¿Se puede cargar a un huérfano? Entonces tienes algo que dar. ¿Puede servir en una línea de comida en su ciudad y hacer contacto visual y sonreír a las personas sin hogar cuyo mayor dolor es sentirse "invisible"? Entonces tienes algo que dar. Y hay que darle algo.

Necesitas hacer algo para servir a los pobres. Para tu propio bien. No sólo los espiritualmente pobres. Los literalmente pobres. Lee Mateo 25. Es la hoja de trucos para "el examen final". Todo lo que hiciste por ellos, lo hiciste por Jesús. Lo que no hiciste por ellos, no lo hiciste por Dios mismo. No sé cómo se ve eso para ti, pero sí sé que tu salvación depende de que encuentres una buena respuesta a esa pregunta. (Lo sé, lo sé: Jesús salva, y no podemos ganar eso. Pero el Jesús que salva fue claro en múltiples ocasiones que él no quiere salvarnos si no queremos servir a los necesitados.) Creo que eso se debe, en gran parte, al tipo de personas en las que nos convertimos cuando abrimos los ojos y servimos a las personas necesitadas, y al tipo de personas en las que nos convertimos cuando no lo hacemos. Para los que se centran en sí mismos, el infierno comienza aquí y ahora. Todos hemos experimentado esto.

Nuestra organización sin fines de lucro, Real Life Catholic, hace mucho para asociarse con otras organizaciones para servir a los necesitados. Gracias a nuestros donantes, damos a nuestras organizaciones asociadas a lo grande. Y cada vez que me dan las gracias, les agradezco por darnos a mí y a nuestros seguidores la oportunidad de salvar nuestras propias almas. Necesitamos a los pobres más de lo que ellos nos necesitan a nosotros. Servirlos me saca fuera de mí mismo y me limpia de las cosas mundanas que se adhieren a mi alma y me hacen miserable.

No tienes que convertirte en la Madre Teresa. Solo tienes que hacer tu parte, incluso si es tan pequeño como dar mensualmente a una organización que sirve a los pobres. Un poco alcanza mucho para tu alegría, y un poco de todos, rinde mucho para los pobres.

Recuerda: Los pequeños actos de servicio son gran cosa

A menudo pensamos "Soy pequeño e insignificante, ¿qué puedo hacer? No tengo una organización sin fines de lucro o un escenario y ni siquiera escribo libros. No soy rico. No soy famoso", así que no hacemos nada. Después de todo, no somos "grandes cosas", y esos pequeños actos de amor y servicio no son tan grandes. ¿Correcto? Incorrecto.

Amigos, hay dos mil millones de cristianos caminando por esta tierra hoy. ¿Qué pasaría si todos nos detuviéramos a decir "¿Qué puedo hacer" y nos empezáramos a preguntar, con el corazón abierto, "¿Qué puedo hacer?" El mundo cambiaría si todos nosotros hiciéramos nuestro "pequeño algo".

Comienza con las oportunidades justo debajo de tu nariz y deja de pasar por alto su importancia. Todo, desde mantener la puerta abierta para la persona que te molesta hasta el pequeño acto de evangelización de decirle

"Dios te bendiga" hasta a la persona que te dio café, todo hace una diferencia. Todo cubre el mundo con el amor de Dios.

Subestimamos nuestro impacto porque sopesamos las cosas con la balanza equivocada.

Sólo vemos la vida en una dimensión. Sólo vemos el aquí y ahora. Pero cuando estemos ante Dios al final de los tiempos, fuera del tiempo, veremos que nuestro "periodo" abarca los milenios. Veremos el efecto dominó de todas las pequeñas cosas que hemos hecho.

Desde el punto de vista eterno, un hombre del que nunca habías oído hablar llamado Jan Tyranowski derribó el comunismo en Europa oriental e impactó millones de vidas con el poder del Evangelio. Él es probablemente la razón por la que estás leyendo este libro en este momento.

Jan vivió en una pequeña ciudad de Polonia mientras los nazis y luego los comunistas se hicieron cargo. No podía hacer mucho, pero para mantener viva la Fe y su cultura, comenzó un pequeño grupo para ayudar a algunos jóvenes a mantener su fe a través de esos tiempos difíciles. Se reunían, compartían la vida y rezaban el rosario. Entonces Jan murió, desapercibido para el mundo. Uno de los hombres de su pequeño grupo pasó a ser el Papa Juan Pablo II, que cambió el mundo, y mi vida personalmente... Nunca sabes tú impacto.

Mi hijo es un médico de combate del Ejército y un hombre de profunda fe. Él está impulsado por la idea de que, si salva una vida, en mil años eso son miles de vidas que pueden no haber tenido la oportunidad de vivir.

No te limites a mirar el aquí y ahora. Recuerda que cada acto de amor y servicio se extiende hasta el fin de los tiempos. Cada acto concreto de amor es de infinita importancia.

3. Haz donaciones.

Se ha dicho que el dinero no puede comprar la felicidad. No es verdad. Es un hecho científicamente probado que el dinero puede, de hecho, hacerte feliz, ¡pero solo cuando lo gastas en otras personas!

Un estudio de 632 estadounidenses preguntó cuánto ganaban y les pidió que calificaran su propia felicidad. Los resultados: el nivel de ingresos no importaba. Los que gastan dinero en sí mismos no eran más felices. Los que lo regalaron lo fueron. En un segundo estudio, un grupo de empleados recibió una gran bonificación y, unos meses después, se les preguntó cómo la habían gastado y cómo había afectado a su felicidad. Hubo una correlación directa entre un aumento en la felicidad y cuánto había gastado la persona en caridad.[9]

Jesús dijo: "Mayor felicidad hay en dar que en recibir" (Hechos 20,35). Resulta que, una vez más, la ciencia respalda a Jesús.

Doy mensualmente a varias organizaciones benéficas (incluyendo mi propia Real Life Catholic). Es adictivo. También trato de estar abierto a oportunidades para dar un poco más cuando puedo. No soy rico, así que no doy una tonelada, pero doy lo que puedo, y en retorno recibo mucha alegría.

[9] James Randerson, "The Path to Happiness: It Is Better to Give Than Receive," *The Guardian*, March 21, 2008, https://www.theguardian.com/science/2008/mar/21/medicalresearch.usa.

Winston Churchill dijo una vez: "Nos ganamos la vida con lo que obtenemos. Hacemos una vida por lo que damos".

SÉ UNA RESPUESTA A LA ORACIÓN

Cuando damos, podemos tener el gozo de ser la respuesta de Dios a la oración de alguien. Estaba en un hotel en Deep South, y escuché a una mujer que estaba trabajando en la cocina del hotel decirle a su compañero de trabajo: "Señor, sería muy bendecida si pudiera tener a uno de estas máquinas para hacer waffles para traer a casa a mis nietos". Cuando estaba de vuelta en mi habitación de hotel, llamé a mi esposa y compartí lo hermosa que es la cultura negra del sur, cómo palabras sagradas como "Señor" y "bendito" fluyen tan naturalmente en el curso de sus conversaciones. Y comenté cuántas bendiciones, como nuestra máquina de hacer waffles, damos por sentadas.

Mi esposa estaba horrorizada de que simplemente me inspiraran en lugar de estimularme a la acción. "¿Estás loco? ¡Consíguele una máquina de hacer waffles! ¡Obvio!" Fui a averiguar como hacerle llegar un paquete y le ordené la mejor máquina de hacer waffles que podía pagar. Ella nunca sabrá quién hizo eso, pero sabrá que su oración fue respondida. Se sintió muy bien.

Dios responde oraciones a través de nosotros, grandes y pequeñas, cuando lo escuchamos a él y a las personas que nos rodean (y a nuestras esposas). Y, al mismo tiempo, él responde a nuestra oración más profunda por gozo.

Regla 9: Enmarca tu mente con la fe

Aspirad a las cosas de arriba, no a las de la tierra.
—Colosenses 3,2

HAS ESCUCHADO LA FRASE, "estado de ánimo". Tu estado de ánimo no es lo que estás pensando. Tu estado de ánimo es desde donde estás pensando. Es el espacio de la cabeza en el que sus pensamientos suceden. La mayoría de nosotros nos acercamos a la vida cotidiana sin tomar posesión de nuestro estado de ánimo. Por defecto, dejamos que nuestras circunstancias o nuestros estados de ánimo que pasan enmarquen nuestro pensamiento en lugar de lo que *queremos* que lo enmarque.

El "marco" más poderoso e inductor de gozo que tu mente puede tener está formado por tu fe.

La fe no es sólo una práctica religiosa. La fe es la forma en que se ve todo. Es cómo respondes a las grandes preguntas de la vida. Es el marco que da forma a tu "panorama general" para toda la vida. Si ese marco es fundamentalmente malo, los buenos tiempos son solo una distracción. Si ese marco es una causa de alegría, tu vida puede ser alegre incluso cuando es difícil.

Pero necesitas ser intencional acerca de tu fe enmarcando tu mente para que haga ese tipo de diferencia en tu vida. Vamos a sumergirnos en exactamente cómo hacer eso, o más bien, ¡cómo permitir que la gracia de Dios haga eso en ti!

El poder de un marco

Phil Braun ha estado al otro lado de la cámara durante la mayoría de las cosas que he filmado. Desde el programa de Confirmación Elegida, que, gracias a Dios, ha ayudado a formar un millón de personas preparándose para la Confirmación, hasta arriesgar sus dedos de la mano y sus dedos de los pies mientras estaba de pie en el lago Michigan durante una ventisca para filmarme tratando de surfear en nuestro "reality show", Real Life Catholic, siempre está allí. Y es genial en lo que hace.

Le pregunté cómo fue que aterrizo en su carrera elegida. Dijo: "Descubrí que soy muy bueno para ver el mundo a través de una caja. Soy bueno para poner un marco alrededor de las cosas". Qué resumen elegantemente sencillo de todo, desde las bellas artes, hasta la fotografía y el cine.

Artistas, fotógrafos y camarógrafos seleccionan un punto en un panorama, ponen un marco rectangular alrededor de él y lo comparten con el mundo. El mal arte, como el mal fotoperiodismo, impone un marco en la realidad que crea una visión de túnel y empuja una agenda, cegándolo a la realidad.

Nunca olvidaré mi participación en una marcha pacífica pro-vida de joven. Un fotoperiodista se acercó a mí y a la multitud de jóvenes que participaban en la marcha y se dirigió hacia una anciana que marchaba con nosotros. Levantó su cámara en alto, la apuntó hacia ella para cortarnos de la imagen, y capturó la imagen de una abuela solitaria, rosario en mano, marchando por la vida. Algunos marcos esconden la realidad.

Un buen marco no hace eso. Por un lado, presenta una imagen que es más pequeña que el panorama, y por el otro, abre el corazón y la mente a una realidad más grande. La imagen de una mariposa posándose en una pequeña flor silvestre en la base de una montaña te abre a una nueva forma de ver toda la cordillera. La foto de un niño riendo y jugando en una hidrante en medio de un paisaje urbano ocupado te ayuda a ver toda la ciudad de Nueva York de manera diferente.

Tu mente tiene un marco a través del que ves todo. Por lo general, no eres consciente de que está ahí, pero te guste o no, afecta la forma en que experimentas todo.

El marco hace la imagen

Si hoy estás en un estado de ánimo defensivo, responderás a la sugerencia de un compañero de trabajo de forma diferente que si te sientes seguro y confiado. Si tu hijo adolescente está enojado, él procesará tu petición de lavar los platos de manera muy diferente a si se siente amado y feliz.

El estado de ánimo no solo determina lo que pensamos, sino cómo lo pensamos. Los estudios que confirman este hecho han llegado a dar forma a todo, desde tácticas de negociación de rehenes hasta el arte de sellar un acuerdo enseñado en las mejores escuelas de negocios.

Los negociadores de rehenes solían confiar en el arte de la lógica.

Si un terrorista está reteniendo rehenes, seguramente puedes razonar con él, preguntar lo que quiere y llegar a un acuerdo que lo saque a él y a sus rehenes de una manera que minimice el daño y maximice las ganancias para todas las partes involucradas, ¿verdad? Incorrecto. Después de innumerables fracasos, los negociadores aprendieron que, en cualquier situación de rehén, la vida y la muerte dependen de manejar el estado de ánimo de alguien más que de manejar el intercambio de información.

Un terrorista al que se le ofrece un buen trato y que se siente relajado y seguro y confía en el negociador de rehenes resulta en vidas salvadas. Un terrorista nervioso que siente que se están aprovechando de él y le están faltando al respeto, con el mismo buen trato resulta en rehenes muertos. Es tan sencillo como eso.

Los descubrimientos de los negociadores de rehenes han influido en las principales escuelas de negocios de todo el mundo. Resulta que las negociaciones no suceden por personas lógicamente fuertes con un caso no cuestionable y un PowerPoint irrefutable.

En su libro, *Never Split the Difference*, el ex negociador de rehenes del FBI convertido en gurú de los negocios, Chris Voss, observa que el hombre

> tiene dos sistemas de pensamiento: El sistema 1, nuestra mente animal, es rápido, instintivo y emocional; El sistema 2 es lento, deliberativo y lógico. Y el sistema 1 es mucho más influyente. De hecho, guía y dirige nuestros pensamientos racionales. Las creencias, sentimientos e impresiones del sistema 1 son las principales fuentes de las creencias explícitas y las elecciones deliberadas del sistema 2. Son el manantial que alimenta el río. Reaccionamos emocionalmente (sistema 1) a una sugerencia o pregunta. Entonces esa reacción del sistema 1 informa y en efecto crea la respuesta del sistema 2.[1]

En otras palabras, tu estado de ánimo, moldeado por creencias que a menudo no sabes que tienes o no estás prestando atención, sentimientos que no elegiste y respuestas instintivas que desconoces, tiene un papel poderoso en la conformación de lo que *crees* que son conclusiones puramente lógicas.

Un ejemplo extremo y trágico de esto se puede ver en situaciones de supervivencia en el desierto. Es un hecho bien conocido que el asesino número uno en la naturaleza no es el frío, el hambre o la sed. Es el pánico. Una vez que entras en pánico, tu mente ya no está buscando lo que necesita para sobrevivir. Solo quiere que corras y te escondas. Hay historias de personas, perdidas en una ventisca, que cedieron al pánico tan profundamente que sus mentes se deshicieron en la paranoia.

[1] Chris Voss, *Never Split the Difference: Negotiating as If Your Life Depended on It* (New York: HarperCollins, 2016), 12.

Un hombre fue encontrado escondido, congelado hasta la muerte, justo cerca de donde los rescatistas habían pasado llamando su nombre. El terror se apoderó de su sistema 1 pensando tan poderosamente que rebasó sus conclusiones del sistema 2. Todo fue interpretado a la luz del terror. Incluso los rescatistas eran vistos como una amenaza de la que tenía que esconderse.

Todos abordamos la vida cotidiana con un estado de ánimo. Si bien el estado mental equivocado no suele conducirnos a la muerte, a menudo nos impide vivir realmente.

Cuando San Pablo escribió: "transformaos mediante la renovación de vuestra mente" (Rom 12:2), él no sólo te estaba exhortando a aprender tu fe. Usando el lenguaje de Voss, Pablo no solo estaba diciendo que llenaras tu sistema 2 pensando con las construcciones lógicas correctas acerca de Dios. Él estaba diciéndote que hagas un cambio a tu sistema 1. Él te estaba exhortando a cambiar tu estado de ánimo.

Eso es lo que hace la fe, o al menos, eso es lo que se *supone* que la fe debe hacer por nosotros. La fe está destinada a *ser* tu estado de ánimo. Ponle un marco a la vida que, por un lado, enfoque tu visión, y, por otro lado, te abra a toda la realidad más plenamente. No solo miras fijamente el marco. Miras a través de él todo lo demás. La Biblia es así. No solo estamos destinados a ver el libro, sino todo, a través de él: Dios. Propósito. Alegría. Dolor. Vida. Muerte.

> "Alegraos de la esperanza".
> —Romanos 12:12

La fe responde a nuestras preguntas fundamentales acerca de cuál es el propósito de la vida, si somos amados o adorables, si somos un accidente cósmico o realmente importamos en lo absoluto, qué sucede cuando morimos; y esas respuestas enmarcan cada nuevo pensamiento y experiencia que entra en nuestra conciencia.

Cuando la fe juega un papel tan poderoso en nuestras vidas, comenzamos a experimentar lo que significa "todo es nuevo" (2 Corintios 5,17), viviendo la vida a plenitud (Juan 10,10). Comenzamos a experimentar la alegría que Jesús prometió cuando dijo que había venido a compartir la misma alegría de la Trinidad con nosotros (Juan 15,11), una alegría que nada puede quitar (Juan 16,22).

Lamentablemente, la mayoría de la gente nunca llega allí. La religión sigue siendo sólo una parte del panorama. Su marco mental —su cosmovisión— está construido por otra cosa. Es por eso que tienen fe, pero no alegría. Tienen una fe que les enseña que, el Dios del universo, murió por ellos y están en un tren hacia la gloria, pero es solo una bonita historia en la que creen, no la historia de *sus* vidas.

Los santos son personas que dejan que la fe enmarque sus mentes, dando forma a sus corazones en un nivel profundo, incluso subconsciente.

El estado de ánimo de San Pablo

Sorprendentemente, la mayor parte de lo que San Pablo escribió sobre la alegría, cómo tener el estado de ánimo correcto, mantener una gran actitud y vivir con gratitud, lo escribió desde la cárcel mientras esperaba la ejecución. Se cree que las aguas residuales de la ciudad corrían por su celda en Roma. Imagínese él sentado allí, no sólo en cadenas sino en hedor, y escribiendo: "Estad siempre alegres en el Señor; os lo repito, estad alegres" (Fil 4,4).

Sus miserables circunstancias no enmarcaron su mente. Vivió con una conciencia constante de la presencia de algo más grande que sus circunstancias pasajeras.

En cada una de sus cartas carcelarias, se presentó en términos nobles: "Pablo, un apóstol de Jesucristo" y "Pablo, un prisionero de Jesucristo". Nótese que él no dijo: "Pablo, un prisionero de Roma". Esto se debe a que, por muy grande que fuera el Imperio Romano en ese entonces, había algo aún más grande para enmarcarlo.

Todos vamos por la vida con una conciencia de "algo más grande" que enmarca nuestras mentes. Es cómo vemos la vida misma, y da forma a cómo percibimos las experiencias en las que consiste la vida.

- ¿Ves la vida como una tragedia? Tal vez una enfermedad te enseñó a ver todo de esa manera.
- ¿Ves la vida como una lucha? Tal vez la privación te enseñó eso.
- ¿La ves como un juicio? Tal vez el amor condicional te enseñó eso.
- ¿La ves como una oportunidad? Tal vez la ética de gran valor de tus padres te enseñó eso.
- ¿La ves como un partido? Tal vez demasiadas películas de los ochenta te enseñaron eso.
- ¿La ves cómo un poco de todo lo anterior?

Hay un mejor marco para la vida que todo eso.

Las epístolas de la prisión de Pablo están derramando gotas de esperanza, expectativa, un sentido de dignidad y poder, y, sobre todo, alegría. Nunca te imaginaste que Pablo no olía el incienso de iglesia, sino aguas residuales de la ciudad. Pablo podría haber dejado que sus circunstancias moldearan su estado de ánimo, ¡e inicialmente probablemente lo hizo! Es por eso que escribió a los filipenses desde la cárcel: "No lo digo movido por la necesidad, pues he aprendido a contentarme con lo que tengo" (Fil 4,11). Pero con el tiempo escribió: "Aspirad a las cosas de arriba, no a las de la tierra" (Col 3,2).

Entonces, ¿cuál es el "algo más grande" que enmarcó la mente de Pablo y dio forma a su pensamiento? Echemos un vistazo a un santo de hoy en día que conocí en un lugar inesperado para la respuesta.

El estado de ánimo de John Simone

Fui a Haití en un viaje misionero para filmar para nuestro programa, católico de la vida real. Nuestra misión estaba en una parte pobre de Haití. Si estás familiarizado con Haití, sabes que eso es decir mucho. Probablemente estábamos a una hora de la carretera pavimentada más cercana. La Revolución Industrial pareció saltarse el lugar en el que estábamos. Y allí, a miles de kilómetros de casa y a unos cientos de años alejado del resto del mundo, conocí a un hombre que nunca olvidaré. Su nombre es John Simone.

John había tenido un accidente que lo dejó casi paralizado del cuello hacia abajo, aunque tenía suficientes terminaciones nerviosas vivas para sentir algo de dolor.

Su pueblo lo había odiado porque había sido un criminal, así que lo dejaron literalmente pudrirse.

Cuando los misioneros lo encontraron, sus escaras eran tan malas que su caja torácica y su columna vertebral estaban expuestas. Su cama estaba hundida por el peso sus propias heces. El hijo de nueve años de John lo había mantenido vivo con los restos de comida que podía encontrar y con aerosol de insectos para las llagas de John. (La pobreza en Estados Unidos es real, pero la pobreza en Haití es algo que es difícil que te quepa en la cabeza hasta que lo hayas visto).

A través de sus cuidados hacia él, los misioneros le salvaron la vida y lo llevaron a una relación con Dios. Me uní a ellos para cuidar las escaras de John, y cuando me acerqué a la casa de la que nunca sale, que era más pequeña que mi dormitorio, no sabía qué esperar. Lo que vi me sorprendió.

Una sonrisa. Y no cualquier sonrisa. Fue literalmente la sonrisa más radiante que había visto en mi vida.

Yo no sonrío tan grande como John cuando estoy "luchando" con el tráfico de Denver. Yo, que había venido a ayudarlo, fui rápidamente humillado en presencia de esta alma gigante. Su pequeña cabaña en una selva remota en Haití de repente se sintió como una catedral que se elevaba sobre mí.

Cuidé las escaras de John. Le agradecí por su fe. Me sentí tan conectado con el hombre que le besé la frente como si fuera mi hermano, porque él es mi hermano. Le pregunté: "¿Cómo mantienes tu ánimo tan alto?" Él dijo: "Pienso en otras cosas". ¿Qué "otras cosas"? ¿Qué distracciones podrían ser más grandes que sus terribles

circunstancias? La respuesta estaba pintada sobre su cama: una imagen de Jesús y María en el techo que miraba todo el día. Y John no solo pasaba la mayor parte de su tiempo mirando "fijamente" esa pintura; sino veía su vida a través de ella.

John es un santo. Y los santos tienen una alegría que no puede ser conquistada. John era como San Pablo, quien escribió hermosas frases como: "en todo esto salimos más que vencedores" (Rom 8,37).

Entonces, ¿qué hay en el marco mental de esta fe que le dio a Jhon un gozo tan inexplicable? En una palabra: Amor. Nada nos hace más felices que el amor, y la fe cristiana revela que el marco correcto para toda la vida, cada interacción y todo lo que nos sucede, es el amor.

Enmarcado por el amor

Amor y Felicidad

Estamos hechos para el amor. El amor nos trae a la existencia. Le conté a mi hijo sobre los pájaros y las abejas, y me preguntó: "¿Hay alguna otra manera?" No la hay. Dios ha elegido hacer que el aliento de vida dependa del acto de amor. El amor es la fuente de la vida. Es por eso que enamorarse, y estar enamorado, es la experiencia más feliz en la vida. (También es por eso que las experiencias de amores rotos se encuentran entre las más devastadoras).

Mi hija se casó recientemente. Hay una razón por la que la Biblia llama al cielo una fiesta de bodas. Una boda santa es la experiencia más inductora de alegría en la vida. Existe la sonrisa, y luego está la sonrisa de "la novia al final del pasillo". Es de otro mundo. Amamos el amor más que cualquier otra cosa porque nos hace más alegres que cualquier otra cosa.

Estaba un poco loco de alegría cuando empecé a salir con mi esposa. No pensaba bien. Me afectó mis calificaciones en la universidad. Pero valió la pena. (¡Y el Dr. Scott Hahn, mi asesor de tesis, fue muy misericordioso conmigo!) Nuestras almas que buscan gozo son impulsadas a amar cuando lo encontramos. No podemos evitarlo. Y cuando lo buscamos en los lugares equivocados, nos lleva por un precipicio. Muchas de las peores decisiones de la vida son impulsadas por una búsqueda equivocada del amor. Cuando los hombres piensan que encontrarán lo que sólo el amor puede dar a través de los logros, se convierten en adictos al trabajo; cuando las mujeres piensan que lo encontrarán en el club equivocado, pueden acostumbrarse; cuando los adolescentes piensan que encontrarán amor y aceptación con ese grupo de fumadores de marihuana, se convierten en adictos. Lo damos todo para comprar amor porque anhelamos la alegría que el amor promete. Cuando encontramos el amor, vale la pena cada centavo. Cuando miramos en los lugares equivocados, nos roba a ciegas.

Pero al final, el amor final no está "ahí fuera", al doblar la esquina, en ese próximo novio, o incluso en "el matrimonio perfecto" (que no existe). El amor que tiene el poder de ocupar cada página hecha jirones de tu vida y hacerla parte de una historia de amor—enmarcando toda la existencia en algo "mejor de lo que nosotros [abundante] podemos pedir o pensar" (Efesios 3,20)—sólo se encuentra en la fe. Y más específicamente, la fe cristiana.

Dios es amor

El Dios que es Amor que se nos presenta en la Biblia no es sólo la criatura mitológica más agradable para reemplazar a los dioses de antaño. No es un hombre poderoso que vuela por el espacio, solo amoroso en lugar de mezquino. Él está completamente más allá de lo que la humanidad había querido decir previamente con la palabra "Dios". Los dioses de los antiguos eran personajes de la historia de la existencia del hombre. Zeus era realmente poderoso. Pero no era "todopoderoso". Tenía conocimiento. Pero no era "omnisciente".

Existió. Él no era "Yo Soy". Él no era "la existencia por sí misma". No era más grande que la historia. Él era sólo un tipo grande en ella.

Los dioses de los antiguos eran como Gandalf, apareciendo de vez en cuando para ayudar a los hobbits. El Dios del cristianismo es como J. R. R. Tolkien, el autor, que aparece el mismo en la página 162. Eso no cambia la línea argumental. Cambia toda la historia.[2] No estamos viviendo en una historia donde el Amor aparece para ayudarnos. Estamos viviendo en una historia de amor. Estamos viviendo en Dios. Esa es la cosmovisión cristiana. Ese es el lente a través de la cual leemos cada página de la Biblia y experimentamos cada página de la vida.

> "La alegría es el signo infalible de la presencia de Dios".
> —Pierre Teilhard de Chardin

Cuando encuentras el amor que es Dios, has encontrado el "algo más grande" que Pablo conocía en la cárcel. Si tu vida fuera una historia, el título no sería "divorcio", "abuso", "enfermedad" o "fracaso". (El fracaso no es una persona; es un evento). Todas esas son solo páginas de una historia más grande. Por supuesto, nosotros que estamos en Cristo vivimos y morimos como todos los demás. Y la mayoría de las páginas de la vida se ven igual de un vistazo, pero si das un paso atrás, verás una historia diferente. Una nueva portada une todas las páginas. Es una historia de amor. Y por eso, tenemos alegría.

[2] Peter Kreeft hace un punto similar. See *Jesus-Shock* (South Bend, IN: St. Augustine's Press), 41. Yo realmente recomiendo este libro!

Digo esto sin disculparme: la fe en Jesucristo ofrece el mejor "marco" posible para la vida jamás propuesto por nadie. De hecho, a pesar de toda la mala prensa que la Iglesia se ha ganado en los últimos años, y por todas las fallas de sus seguidores, todavía es el caso de que nada se acerca al mensaje de Jesucristo cuando se trata de una manera edificante e inductora de gozo de experimentar su propia existencia. Una cosmovisión atea no puede ofrecerte lo que Jesús hace. Un estado de ánimo sin Dios está totalmente vacío. Una cosmovisión atea es una cadena de eventos sin una historia. Si no hay autor, no hay historia. Si no hay Dios, entonces cualquier significado que encuentres en la vida es un significado que inventaste, que es una verdad, que no es "real". Si no hay Dios, no eres más que un bulto afortunado de moléculas autoconscientes que surgieron de un universo y no deberían estar aquí y algún día no lo estarán. Eventualmente, todas las estrellas se irán, y el universo implosionará, o se hará trizas, o (inserte su escenario del día del juicio final aquí). Fin. Si conoces a un ateo con alegría y esperanza, en palabras de mi amigo Kenn Hensley, pídele que te muestre su recibo, porque la alegría y la esperanza no son consistentes con lo que piensa sobre nuestra existencia.

Una cosmovisión vagamente espiritual tampoco puede darte lo que Jesús puede. Las personas que dicen ser "espirituales, pero no religiosas" han cambiado la imagen de un Dios personal y amoroso por una fuerza amorfa. (¿Tal vez sea porque una fuerza vaga no tiene demandas sobre nosotros y nos permite seguir siendo nuestros propios pequeños dioses?) Confunden "vago" con "profundo". ¿Como si un Dios que prefería quedarse escondido detrás de las nubes fuera profundo? No lo es. O tal vez reemplacen la palabra "Dios" con la palabra "universo". Odio darte la noticia: la naturaleza no se preocupa por ti. Pregúntenle al coronavirus.

La fe en el dios "equivocado" tampoco puede traerte lo que Jesús puede. Una visión de Dios que realmente no me ama y que no entró en mi mundo para sufrir por mí y conmigo es una religión fría al final. Si bien respeto otras religiones, no puedo imaginar a Dios siendo nada menos que el amor que entraría en este lío humano conmigo.

Sólo Aquel que es Amor puede convertir toda la vida en una historia de amor y una buena. Es por eso que solo él puede darte la alegría que estás buscando. En palabras del Papa Benedicto XVI: "La felicidad que buscas, la felicidad que tienes derecho a disfrutar, tiene un nombre y un rostro: es Jesús de Nazaret".[3]

Anclado en el amor

Mi amiga Lizz, que murió de cáncer, y su esposo Ryan, a quien dejó atrás con sus cuatro hijos pequeños, compartieron el tatuaje de un ancla. No es solo porque ella estaba en la Guardia Costera. Es porque son cristianos católicos. En las iglesias del siglo I en Roma, se pueden ver anclas talladas en las paredes. Es un símbolo de esperanza. Para los primeros cristianos, la persecución era regular y espantosa. Sus amigos y familiares a menudo eran

[3] Benedict XVI, Address at the Poller Rheinwiesen Wharf, August 18, 2005, in *L'Osservatore Romano*, August 24, 2005, 4.

alimento para los leones en el Coliseo. El último sonido que escucharon fue el aplauso de sus vecinos. Los baños de sangre eran parte de la vida. Los cristianos fueron empalados, cubiertos de alquitrán y encendidos en llamas para mantener el palacio del emperador Nerón iluminado por la noche. Extrañamente, los cristianos también eran alegres. Los escritos de los líderes de la Iglesia en ese momento no estaban obsesionados con la política de Roma. Estaban demasiado ocupados entusiasmándose con lo que Dios estaba haciendo como para obsesionarse con lo que el emperador estaba haciendo.

La superficie agitada del mar no perturba un ancla. Los huracanes y las marejadas y las persecuciones y la pérdida de empleo y el cáncer y (inserte tus olas aquí) no pueden robarte tu esperanza cuando está anclada en el Amor que es Dios. Las páginas hechas jirones de tu vida no pueden robarte tu sentido de la historia cuando están atadas por el Evangelio. Y es por eso que todas las cosas que la vida nos arroja pueden ponernos tristes en el nivel natural, pero no pueden robar la alegría espiritual más profunda en un alma cristiana.

Jesús prometió, la alegría "nadie os la podrá quitar" (Juan 16,22), porque el mundo no puede tomar lo que no te dio.

Por esta razón, la Regla 9 es la regla para una vida alegre que dura cuando todas las demás se desvanecen. Es una luz cuando todas las demás luces se apagan. Y cuando no puedes controlar las otras reglas para una vida alegre (que no siempre podrás, especialmente cuando te acerques a tu propia muerte algún día), solo hace que la Regla 9 sea más fuerte en tu corazón. Cuando no puedes involucrar a tu cuerpo en la batalla por la alegría porque te falla, puedes hacer de tu cuerpo una ofrenda al Señor.

Cuando no puedes lograr ningún equilibrio porque no tienes idea de lo que traerá el mañana, puedes saber que el Señor tiene un plan para tu vida, ya sea una vida larga o corta. Cuando no puedes pensar en por qué dar gracias, puedes dar gracias a Dios por amarte. Enmarcar tu mente en la fe es la fuente inconquistable de alegría. No, no la sensación más superficial de felicidad pasajera, ni la negación del dolor, que es real, sino la conciencia de algo más allá del alcance del dolor.

Cuando Sam y Frodo se acercaron al Monte del Destino en el Señor de los Anillos, justo cuando toda esperanza estaba a punto de desvanecerse, Sam miró hacia arriba, más allá de sus terribles circunstancias, a algo nunca tocado e intocable por el mundo:

> Allá, asomando entre las nubes por encima de un peñasco sombrío en lo alto de los montes, Sam vio de pronto una estrella blanca que titilaba. Tanta belleza, contemplada desde aquella tierra desolada e inhóspita, le llegó al corazón, y la esperanza renació en él. Porque frío y nítido como una saeta lo traspasó el pensamiento de que la Sombra era al fin y al cabo una cosa pequeña y transitoria, y que había algo que ella nunca alcanzaría: la luz, y una belleza muy alta.[4]

[4] J. R. R. Tolkien, *El Señor de los Anillos: III Parte El Retorno del Rey* (Barcelona, Minotauro, 2016), 1012.

San Pablo tuvo alegría cuando se acercó a su muerte, porque su mente estaba enmarcada por una gran belleza más allá del alcance de la muerte.

John Simone tenía alegría mientras yacía en su cama, incapaz de moverse, porque su pensamiento no estaba enmarcado por la realidad de su parálisis, sino por la realidad de su libertad como un hijo amado de Dios.

Mi padre tenía sentido del humor mientras se acostaba en lo que él pensaba que era su lecho de muerte hace un año, porque en ese momento era un hombre que no se enfrentaba a la muerte, sino a la vida misma.

Y *eso* es redención. Ser liberado del pecado es sólo una pequeña parte de lo que es la redención. Un alma verdaderamente redimida es redimida de todo, redimida por la alegría y la esperanza del Evangelio. Las olas de la vida pueden caer, pero hemos aprendido a surfear.

Eso es lo que la luz de la fe cristiana hace por nosotros en el aquí y ahora. Y mantener tu mente en las cosas de la eternidad mientras paseas por el valle de la sombra de la muerte no es solo la regla para cuando todo lo demás falla. ¡También es la regla que te ayuda a vivir y disfrutar de los demás más plenamente! Todo, desde la gratitud hasta el silencio, el descanso, el cuidado de tu cuerpo y la amistad, todo adquiere una dimensión más completa cuando se enmarca en la cosmovisión del Evangelio. Todas estas cosas deben ser experimentadas no como el resultado de la suerte, sino como el don del Amor.

Pero, ¿cómo dar el salto de tener fe a que la fe te tenga a ti? ¿Cómo cambias la fe de meramente el sistema 2 al sistema 1? ¿Cómo pasas de dejar que seas parte del panorama a enmarcar tu estado de ánimo?

CÓMO HACERLO

1. Rechaza la fe tóxica. Recibe amor.

La mayoría de la gente en el mundo antiguo creció con la idea de que Dios está muy, muy enojado.

Los paganos de antaño creían en lo divino lo suficiente como para tener una historia significativa para la vida, pero no era necesariamente una buena historia. En su mayor parte, los dioses de los antiguos eran idiotas. Eran como tú en tu peor día, sólo, ten cuidado, papá puede lanzar rayos a los niños cuando llegue a casa del trabajo. La gente en el mundo antiguo puede haber sido feliz, pero fue a pesar de su fe, no debido a ella. Zeus simplemente no es feliz creando. Es inductor de miedo.

Vale la pena señalar que algunos cristianos todavía ven a Dios de esa manera, pero eso no es el verdadero cristianismo. Lo están haciendo mal. Piensan que el defecto de Dios es estar enojado con nosotros, que, si él nos "ama", es porque ese es su trabajo, pero no le gustamos. De hecho, no puede soportarnos. Ese tipo de religión reemplaza la culpa saludable con la vergüenza tóxica, la relación con las reglas y el amor con el miedo. Una persona que se acerca a Dios de esa manera lo obedecerá, e incluso llegará al cielo, pero probablemente no se llevará a nadie con él, ¡y cuando llegue allí, se culpará a sí mismo, por haber vivido una vida tan innecesariamente sin alegría!

La verdad del Evangelio es que uno no se gana el amor de Dios más de lo que un niño se gana el amor de su madre. De hecho, en la Biblia, Dios deja claro que nos ama aún más que a nuestras madres: ¿Acaso olvida una mujer a su niño, sin dolerse del hijo de sus entrañas? Pues, aunque esas personas se olvidasen, yo jamás te olvidaría. Aquí estás, tatuada en mis manos" (Isaías 49,15-16).

Como un buen padre, Dios no te ama por lo que eres, sino por lo que él es. Él no puede evitar amarte. Y no podrías ganarte ese amor si lo intentaras. Si crees que tus pecados te hacen indigno de su amor, ¡recuerda que él te ama porque es un acto digno de él!

Cuando te equivocas, no pienses en ti mismo como "desordenado". Piensa en ti mismo como un hijo amado de Dios a quien amó lo suficiente como para MORIR (¿qué más podría hacer Dios para probar que te ama?) por quien simplemente cometió un error.

No estoy diciendo que la obediencia a Dios no sea importante. Estoy diciendo que eso no es lo que hace que él te ame. Jesús dijo: "Si me amas, guardarás mis mandamientos" (Juan 14,15). Si se me permite resumir la herejía condenada del jansenismo, se tuercen esas palabras a: "Si guardas mis mandamientos, te amaré". Eso no es lo que Jesús dijo. No eres amado sobre una base de amor condicional con Dios. Eso no es cristianismo. Esa es una esclavitud espiritual de la que Jesús nos liberó.

Podrías estar leyendo esto, y pensando, "Pero Chris, no sabes cuál es *mi* pecado. Mi pecado es demasiado grande..." ¿Para qué? ¿¡El Creador del Universo!? ¡jajá! (Perdón por reírme de ti. Sólo creo que eso es gracioso.)

Conocí a alguien en un viaje recientemente. Se me acercó con un bebé pequeño en brazos y me dijo: "Este bebé es debido a tu evento aquí el año pasado". Obviamente, ¡eso me pilló desprevenido! Pero ella continuó:

"Había tenido un aborto en la escuela secundaria, y sentí que estaba condenada. Después de escuchar el mensaje del Evangelio, me di cuenta de que era redimible y que el amor de Dios me dice quién soy. No soy mis errores pasados. Soy su hija".

Ella acertó con Dios, e hizo una buena confesión. Y ella y su marido decidieron tener un bebé poco después. Una fe tóxica la habría tenido escondiéndose de Dios el resto de su vida. La gente culpa a la Iglesia por ese tipo de fe, pero rara vez he escuchado a un predicador condenando con gritos a la gente desde el púlpito. Más a menudo, es el "acusador de nuestros hermanos" (Apocalipsis 12,10) susurrando en nuestros corazones después de pecar, especialmente si nos "atrevemos" a entrar en una iglesia.

Pero cualquiera que sea la fuente, eliminar esta toxina es sencillo:

1. Comienza contigo mismo llamándolo y reconociéndolo en tu corazón. Cuando ves algo que te está haciendo miserable, tu alma comienza a rechazarlo como tu estómago podría rechazar la carne rancia.

Y

2. Practica descansar en su amor por ti.

Quiero que hagas algo muy poderoso que solo toma un minuto, y quiero que lo hagas todos los días. Es la forma en que comencé mis programas de asesorías "I AM" (que te ayuda a verte a ti mismo a través de los ojos de Dios), RISE (mi programa para hombres) y mi propia vida de oración todos los días.

Respira profundamente. Tranquiliza tu corazón. E imagina a Jesús mirándote desde la cruz. Él no está mirando el mundo, solo a ti. Concéntrate en sus ojos mientras entrega su vida por ti. ¿Qué te dicen?

Hazlo ahora mismo durante sesenta segundos en total silencio. (Lo digo en serio. Deja el libro y hazlo.) No hables. Sólo tienes que recibir. Solo deja que él te ame.

Antes de que un bebé aprenda su nombre, aprende su identidad, no mirándose en un espejo, sino mirando a mamá y papá. Este es el fundamento de la vida cristiana: no lo que hacemos por él, sino recibir lo que él hizo por nosotros. "Él nos amó primero" (1 Juan 4,19).

2. Elige el amor.

Dios declara que "eres amado" con el amor que es Él mismo, un amor lo suficientemente poderoso como para crear espacio y tiempo y lo suficientemente apasionado como para conquistar la muerte por ti.

Si pudiéramos resumir toda la historia de la Biblia, y de la existencia humana, seria así: tu Dios está enamorado de ti. Locamente enamorado.

¿Has recibido ese amor? ¿Para ti? No te ganaste ese amor, y no podrías si lo intentaras. "Si alguien ofreciera todos los haberes de su casa por el amor, se granjearía desprecio " (Cantares 8,7). ¡Tus "cosas" simplemente no pueden comprar el amor! Esto es aún más cierto con el amor de Dios. Entonces, ¿cuál es tu papel para conseguir lo que se da libremente?

Empieza aquí: Elígelo y pídelo.

Un acto de la voluntad es crítico cuando se trata de amor. Algunas personas son novios para siempre. (¿No le vas a pedir que se case contigo?!) Pasan por los cambios de la vida con el amor a su lado, y nunca entran realmente en él.

La gente se acerca al cristianismo de esta manera. Ellos "Lo hacen por inercia". Ellos saben que Dios se nos da a sí mismo en cada Comunión, pero Él va más allá de sus corazones y termina en sus estómagos. Ellos saben que Él es el Señor del universo, pero no lo invitan a ser el Señor de sus vidas. Ellos confiesan sus pecados y saben que él perdona, pero no afirman esa verdad lo suficiente como para perdonarse a sí mismos.

Salí con mi esposa durante un año y medio, pero la vida realmente no cambió hasta que tomé una decisión, me arrodillé y le hice una pregunta, y ella dijo que sí. Dios espera el movimiento de tu voluntad y la apertura de tu corazón. Él espera a que tú decidas real y verdaderamente por su amor. No puedes experimentar la fe realmente y verdaderamente cambiando tu vida hasta que "llegues allí". No te estoy pidiendo que hagas del cristianismo una parte del panorama de tu vida. Si quieres alegría, necesitas convertirla en el marco.

"¡Pero no quiero ser un fanático religioso!" ¡Es gracioso cómo la gente no tiene miedo de ser fanáticos de los deportes o los coches o los videojuegos o del sexo cuando ninguna de esas cosas puede conducir a la alegría duradera! No tengas miedo. La fe profunda no te hace otra persona. Te hace plenamente tú. Dios no se queda de pie para robarte tu personalidad.

Acompáñame ahora mismo. Después de pasar un minuto pensando en Dios amándote (ver #1 arriba), reza esta oración conmigo. Rézala diariamente si lo deseas. Pero deja que signifique algo mientras la rezas ahora. Te animo a escribir la fecha en que la rezaste en esta página:

Una oración para recibir a Jesús en tu vida de una manera nueva y más profunda

Señor Jesús, Tú eres el amor que nací para encontrar.
Estás aquí, OFRECIÉNDOME tu corazón.
Y pidiendo el mío a cambio.
Me has dado la libertad de decir que no. Uso mi libertad para decir que sí.
Te entrego todo lo que soy.
Renuncio a Satanás. Al pecado.
Al espíritu de desesperación.
Y a la mentira de que no soy amado.
Perdono a los demás, y me perdono a mí mismo de mi peor pecado.
Y te pido que me perdones y que perdones a los que me han hecho daño.
Tú eres el Señor del Universo.
Sé Señor de mi corazón.
Te digo que sí.

3. Practica tu fe.

Si alguien está activo en la Iglesia, se referirá a sí mismo como un "católico practicante". Me gusta la palabra "practicar" porque, en cierto nivel, implica "activo". Pero, en otro nivel, implica "amateur", "desordenado" y "a menudo fallando". Y eso está bien. Lo importante es que sigamos practicando, incluso cuando es difícil, porque, en palabras de San Pedro, "Señor, ¿a quién vamos a ir?" (Juan 6,68).

Me encantaría ver al mundo entero ser devoto, seguidores practicantes de Jesucristo. ¿Sera por eso que quiero amontonar cargas religiosas sobre todos? No. Es porque comparto el deseo de Jesús, y de San Juan, de ver que tu gozo sea completo (véase Juan 15,11; 1 Juan 1,4).

En palabras de San Juan Pablo II, "Es Jesús... a quien buscas cuando sueñas con la felicidad; Él te está esperando cuando nada más de lo que encuentras te satisface."[5] La alegría es la fragancia de Dios. Tener gozo es tener a Dios.

Él no se ha hecho difícil de encontrar. (¡Qué cruel truco sería, habernos creado para buscarlo, y luego esconderse de nosotros!) No es necesario escalar una montaña en el Tíbet. No necesitas aprender ningún mantra. El cristianismo no es complicado. Hay una razón por la que el catolicismo ha sido durante mucho tiempo la fe de la clase trabajadora preeminente en el mundo. Nuestras iglesias podrían parecer de "clase alta". Nuestros líderes podrían ser brillantes. Pero nuestras bancas se han llenado de chicos promedio como tú y yo. Los salones del cielo están llenos de santos sencillos. No cometas el error de confundir *sencillo* y con los pies en la tierra con *simplista* y *sin gloria*.

[5] John Paul II, Address of the Holy Father John Paul II, August 19, 2000, http://www.vatican.va/content/john-paul-ii/en/speech-es/2000/jul-sep/documents/hf_jp-ii_spe_20000819_gmg-veglia. html.

El cristianismo es sencillo y glorioso todo al mismo tiempo.

Busca a Dios en la oración diaria. Búscalo en los sacramentos. Búscalo en su Palabra. Búscalo en comunidad con otros cristianos.[6] Búscalo sirviendo a los pobres, espiritual y materialmente. Búscalo colgando imágenes sagradas en tus paredes.[7] La esencia del cristianismo es Cristo. Lo encontrarás de todas esas maneras sencillas. Y cuando lo tienes, tienes alegría. Y cuanto más hagas esas cosas, más crearás espacio en tu corazón para el Gozo Mismo.

[6] Hay muchísimos recursos disponibles en RealLifeCatholic.com para ayudarte a formar pequeños grupos en tu comunidad.

[7] Visita los iconos artísticos de mi hermana Elizabeth en elizabeth zelasko.com.

Jesús es el camino

Yo soy el camino. —*Juan 14,6*

Jesús

Las primeras palabras de Jesús a la humanidad en el Evangelio de Juan fueron: "¿Qué buscáis?" (Juan 1,38). Vio a dos hombres siguiéndolo. Se dio la vuelta, los miró a los ojos —debe haber sido un momento incómodo— y les preguntó qué querían.

Él sabía la respuesta. Querían a Dios. Querían amor. Querían *alegría*. Todos la queremos. Y había venido a cumplir.

Darme cuenta de eso cuando era adolescente cambió mi vida. Mis padres me arrastraron a un retiro al que no quería ir. (¡Me encantan las experiencias religiosas forzadas para los niños ahora!) ¿Sabes qué cambió mi vida en ese retiro? No fueron los oradores en el escenario. No era la banda. No fue una frase en particular que alguien dijo. Eran los rostros de las personas en esa sala. Tan pronto como los miré, me di cuenta de que tenían la alegría que siempre había estado buscando y había olvidado.

Los primeros cristianos se llamaban a sí mismos los que viven, y cuando miré a la gente en ese retiro, me di cuenta de que yo estaba muerto. Todas mis prioridades habían sido emborracharse y utilizar a las chicas. Por lo menos desde el séptimo y octavo grado. Quería ser como los dioses del rock a los que admiraba, todos ellos muertos por dentro.

Recuerdo una cara en esa habitación en particular. Tenía sesenta años y alababa a Dios. Sus manos estaban levantadas en el aire. No hablamos, y no sé quién era. Ciertamente no era "cool" como mis ídolos de rock. Y él nunca adivinaría que es una gran parte del por qué estás sosteniendo este libro en tus manos. Su rostro me mostró que la alegría no era la ausencia de dolor o la presencia de algún placer, sino que era, más bien, la presencia de Dios— con toda su alegría divina— viviendo y riendo dentro de nosotros.

El gozo de Dios

Pensemos en algo poderoso: el regocijo de Dios.

Piensa en una alegría que brote de las profundidades y conduce a esa convulsión corporal que llamamos risa.

No proviene de una contemplación profunda, solo de una realidad feliz que golpea tu alma abierta de par en par. Un buen nombre para ese tipo de alegría es "regocijo".

G. K. Chesterton terminó su libro *Ortodoxia* con una reflexión sobre la alegría de Dios que quiero compartir al concluir este libro:

> Y al cerrar este volumen caótico, vuelvo a abrir el extraño librito del cual vino todo el Cristianismo; y otra vez me ronda una especie de confirmación. La figura tremenda que respecto a esto y a todo lo demás, llena las torres del Evangelio, por encima de todos los pensadores que se creyeron grandes. Su patetismo fue natural; casi fortuito. Los Estoicos antiguos y modernos se enorgullecieron de ocultar sus lágrimas. Él, nunca ocultó sus lágrimas
>
> Él nunca ocultó sus lágrimas; las mostró claramente en su rostro abierto ante cualquier vista cotidiana, como la vista lejana de su ciudad natal. Sin embargo, ocultó algo. Los superhombres solemnes y los diplomáticos imperiales están orgullosos de contener su ira. Él nunca contuvo su ira, arrojó muebles por la escalera del Templo, y preguntó a los hombres cómo esperaban escapar de la condena del Infierno. Sin embargo, Él controló algo. Lo digo con reverencia; había en esa personalidad demoledora un hilo que debe llamarse timidez. Había algo que Él escondió de

"Todo el camino al cielo es el cielo, porque Jesús dijo: 'Yo soy el camino' "
—Catalina de Siena

> todos los hombres cuando subió una montaña a orar. Había algo que Él cubría constantemente con un silencio abrupto o un aislamiento impetuoso. Había una cosa que era demasiado grande para que Dios nos mostrara cuando caminó sobre nuestra tierra; y a veces he imaginado que era su regocijo.[1]

¡Todo en este libro se trata de aprovechar el manantial de la alegría, la alegría de Dios mismo! El Santo Papa Juan Pablo II a menudo expresó que la alegría que experimentamos en la vida refleja la alegría original que Dios sintió al crearnos. Me encanta pensar en la risa profundamente satisfecha y visceral que debe haber brotado del corazón del amor hace 13.8 mil millones de años y produjo un universo, y a ti. Si Jesús no hubiera mantenido eso en secreto, podría haber explotado todo. Cada sabor de alegría pura, desde la sonrisa del día de la boda hasta la satisfacción silenciosa mientras te embebes en el sonido de la lluvia, es un anticipo de la alegría por venir. Es una alegría que él quiere que tengas.

NACIDO DE NUEVO EN LA ALEGRÍA

Lo que acabas de leer es acerca de aprovechar el corazón del Dios mismo. No es un libro ordinario de "autoayuda". Esos sólo pueden llegar hasta cierto punto. Hay un

[1] G.K. Chesterton, Ortodoxia (https://www.ebookscatolicos.com/), 88–89.

viejo dicho que resume muchos de esos libros: "*Pull yourself up the bootstraps*" (levántate a ti mismo de las agujetas de las botas). En otras palabras, "tener éxito sin ninguna ayuda externa". Y es estúpido. Piensen en lo que esa frase realmente significa. Al agacharte, agarrar las botas, y tirar hacia arriba no vas a conseguir que te levante. No me importa cuánta autosuficiencia y confianza en ti mismo tengas. No me importa cuántos libros de autoayuda leas.

Estas reglas tienen que ver con algo más grande que la autoayuda: la ayuda de Dios. Seguir estas reglas simplemente preparan el camino para aquel que ES gozo. Y el hecho de que él te permita cooperar con Él en lo que Él quiere hacer en tu vida (por eso este libro está en tus manos) es en sí mismo una gracia.

Esto es lo que ningún orador motivacional secular, ningún ateo, ninguna persona vagamente espiritual, y ningún pagano puede ofrecerte. Pero yo puedo. Es Jesús. No puedes tener plenitud de alegría sin él, porque no puedes tener alegría sin amor, y no hay amor que se compare con lo que encontramos en el Dios que es amor y nos hizo para sí mismo. Claro, puedes tropezar con experiencias felices porque tenemos un Dios que quiere ser encontrado y que no puede ocultarse. Pero la alegría de Pablo en la cárcel, John Simone en su cabaña en Haití, Chiara Badano en su lecho de muerte, o mi padre en su —alegría sobrenatural— es imposible sin la vida en Dios.

Cuando estás en Cristo, eres una nueva creación, una nacida de nuevo en la alegría.

Eso no significa que la vida sea fácil. "No pretendemos que la vida sea toda belleza. Somos conscientes de la oscuridad y el pecado, de la pobreza y el dolor. Pero... vivimos a la luz de su Misterio Pascual... '¡Somos un Pueblo de Pascua y el Aleluya es nuestra canción!' No buscamos una alegría superficial, sino una alegría que proviene de la fe".[2]

Perdí a un querido amigo hace diez años, y su cuarto hijo nació dos semanas después de su muerte. En su funeral, el sacerdote dijo: "La alegría no es la ausencia de dolor. Es la presencia de Jesús".

La ruta sencilla

Espero que muchas cosas que has leído acerca de vivir una vida de alegría te hayan hecho pensar: "Eso es muy simple. Estúpidamente sencillo". ¡Y espero que la comprensión te haga darte cuenta de lo estúpido que es no seguir estas reglas! No te centres en lo que se interpone en el camino.

Cuando David se enfrentó a Goliat, tuvo un gran problema entre él y su destino. Un problema muy grande, de tamaño gigante. No se centró en el problema. Él mantuvo sus ojos en Dios. Y eso lo llevó a una solución increíblemente sencilla. Cuando Saúl lo trató de enredar con una armadura y una espada, esto fue demasiado ruidoso para David. No, gracias. Lo dejó caer y tomó su resortera y cinco piedras lisas.

[2] John Paul II, Angelus, November 30, 1986, no. 3, http://www.vatican.va/content/john-paul-ii/en/angelus/1986/documents/hf_jp-ii_ang_19861130.html.

Muchas cosas se interponen entre tú y la vida llena de alegría para la que fuiste hecho. Estoy seguro de que muchas de esas cosas vinieron a la mente al leer este libro. Espero que no te quedes atrapado en todo eso, pero que te ciñas a implementar todas las prácticas en este libro. Son tu resortera y piedras lisas. Y estas reglas, estas piedras lisas, son como Jesús vivió.

Jesús:

- Dio gracias. (Lucas 22,19)
- Se retiró al silencio. (Lucas 5,16)
- Se amó a sí mismo, porque sabemos que siempre practicó lo que predicó que debíamos hacer. (Mateo 22,39)
- Se divirtió. Caminó sobre el agua solo por la noche (¡Juan 6,19... no me digas que eso no fue divertido!) y celebraba y festejaba con la gente (Mateo 11,19; Juan 2,1–12).
- Estaba físicamente activo. Caminó miles de millas durante su ministerio público, con cada viaje de ida y vuelta de Galilea a Jerusalén solo, e hizo muchos, siendo más de 150 millas.
- Tenía amigos. (Juan 15,15)
- Descansó. (Marcos 6,31)
- Sirvió. (Juan 13,5)
- Y siempre mantuvo sus ojos en el Padre. (Lucas 23,46)

Su camino fue de alegría. Y cuando caminamos con él, descubrimos la alegría viviente, incluso cuando nuestro camino es la cruz.

CIERRE

Terminemos donde empezamos. Papá. Infarto. Cuidados intensivos. Mi madre sentada en silencio y mirando a su amado después de casi cincuenta años de matrimonio.

Pude ver un dolor profundo en la cara de mi madre en esos momentos. Su tristeza era real. Ella no negaba la gravedad de su situación. Se despedía. Pero algo más estaba presente y era más real: la alegría cristiana, anclada en su esperanza de amor eterno. El cielo no es menos real que tu dolor. Tampoco está nunca lejos. "Ha llegado el reino de los Cielos" (Mateo 3,2). Siempre. Esa es la "luz [que] brilla en las tinieblas, y las tinieblas no la vencieron" (Juan 1,5). Y es por eso que la alegría era su fuerza y la gratitud era su oración, incluso entonces.

Algún día, cuando haya pasado mucho tiempo de haberme ido, mi hijo estará en una cama de hospital como un anciano con su esposa y su hijo a su lado. Espero que haya experimentado muchas de las bendiciones de la vida para entonces. Espero que haya tenido un buen trabajo, hijos hermosos y sanos que lo honren, y un gran matrimonio, pero, sobre todo, espero que encuentre su fuerza en la alegría del Señor como lo hicieron sus abuelos. Incluso entonces.

Me gustaría que tuvieras una vida fácil, pero más, te deseo a Jesús, mi amigo, porque te deseo alegría.

Gracias por hacer este viaje conmigo. Quédate en él. Camina por este sencillo camino con el Señor. Estas nueve reglas para la vida no son una carrera sino una maratón. Estoy orando por ti. Siempre estaré orando por aquellos que lean este libro. También lo hará mi equipo de guerreros de oración y monjas carmelitas a quienes les he pedido que te encomienden en su oración mientras lees. Yo no me doy por vencido contigo. No te des por vencido tú.

> "La alegría es la clave del mensaje cristiano."
> —Juan Pablo II

Hoy te hago eco de las palabras de Nehemías para ti hoy. Las murallas de la ciudad han sido derribadas. Los invasores nos rodean por todos lados. Pandemias y movimientos políticos locos te amenazan cada vez que abres tu puerta. ¿Te enojarás o dejarás que tu corazón sea derribado? Dios te está llamando a la batalla. Él te está llamando a reconstruir su ciudad caída, su Iglesia, su familia y el mundo. Esta es su llamada para ti a la batalla hoy.

Cuando vives en alegría, tienes la fuerza divina para cada decisión que tomas, cada encuentro que tienes y cada batalla que enfrentas en la vida. La llamada es urgente, y no se trata solo de ti. El mundo te necesita. La Iglesia te necesita. Tu familia y amigos te necesitan. El adolescente en mí (arrastrado a un retiro religioso en contra de su voluntad) necesita ver tu gozo: "El gozo del Señor DEBE ser tu fuerza" (véase Neh 8,10).

Os escribimos esto para que nuestro gozo sea completo. (1 Juan 1,4)

Ángelus de Juan Pablo II durante su visita a Australia, 30 de noviembre de 1986

1. Al finalizar esta celebración eucarística, os invito a que os unáis a mí en la oración del Ángelus. Esta plegaria toma su nombre del anuncio del Ángel a María: "Alegrate... el Señor está contigo" (Lc 1,28). Dentro de poco, en la liturgia de Navidad, escucharéis aquellas otras palabras de alegría que anunciaron el nacimiento de Jesús: "No temaís, pues os anuncio una gran alegría, que lo será para todo el pueblo" (Lc 2,10).

Con anterioridad, en otra ocasión, he llegado a decir: "En un sentido auténtico, la alegría es la nota clave del mensaje cristiano". Como ya dije entonces, mi deseo más profundo es que el mensaje cristiano provoque alegría en todo aquel que lo acoja en su corazón: "alegría a los niños, a los padres, a las familias y a los amigos, a los obreros y a los estudiantes, gozo a los enfermos y a los ancianos, alegría a toda la humanidad"....

2. *La fe es la fuente de nuestra alegría.* Creemos que Dios nos creó para vivir en profundidad la felicidad humana, que de algún modo experimentamos en la tierra,

pero cuya plenitud acontecerá en el cielo. La alegría de vivir, la alegría del amor y de la amistad, la alegría del trabajo bien hecho, etc., expresan, de un modo admirable, lo que todos entendemos por alegría humana.

Para nosotros, los cristianos, la causa-fundamento de nuestra alegría no es otra que la causa de la alegría de Jesús: ser plenamente consciente de que Dios, nuestro Padre, nos ama. Este amor transforma nuestras vidas y llena de gozo nuestro corazón. Nos ayuda a comprobar que, realmente, Jesús no vino para imponernos ningún tipo de yugo. Él vino para enseñarnos lo que significa ser plenamente feliz y plenamente hombres. Por tanto, cuando descubrimos la verdad, descubrimos también la alegría: la verdad sobre Dios, nuestro Padre, la verdad de Jesús, nuestro Salvador, la verdad sobre el Espíritu Santo que vive en nuestros corazones.

3. Sin embargo, no pretendemos afirmar que todo en la vida sea bueno y bello. Somos conscientes de la existencia de la oscuridad y del pecado, de la pobreza y del sufrimiento. Pero sabemos que *Jesús ha vencido al pecado, pasando a través de su propio sufrimiento a la gloria de la Resurrección*. Y nosotros vivimos a la luz de su Misterio Pascual: el misterio de su muerte y resurrección. "Somos un pueblo de Resurrección y el *aleluya* es nuestra canción". No buscamos una alegría superficial, sino una alegría que brota de la fe, que crece a través de la autodonación amorosa, que anima a la realización del "deber primordial de amar al prójimo, sin el cual sería poco oportuno hablar de alegría" (Pablo VI, Gaudete in Domino, I). Sabemos muy bien que la alegría es exigente, requiere generosidad; requiere disponibilidad absoluta

para decir con María: "Hágase en mi según tu palabra" (Lucas 1,38).

4. María, Madre nuestra, me dirijo hacia ti junto con toda la Iglesia y te aclamamos como Madre de la Alegría (Mater plena sanctae laetitiae). Yo, Juan Pablo II, *confío a ti a toda la Iglesia de Australia* y te pido que derrames sobre todos sus miembros esa santa y humana alegría de la que Dios te hizo generosa donación.

Ayuda a que todos sus hijos comprueben que todas las cosas buenas de la vida proceden de Dios Padre a través de tu Hijo Jesucristo. Ayúdales a vivir la experiencia de la alegría del Espíritu Santo que llenó tu propio Corazón Inmaculado. Y haz que puedan encontrar, en medio de los sufrimientos y los avatares y pruebas de la vida, la plenitud de alegría que ha acontecido en tu Hijo Crucificado, y brota, continuamente, de su Sagrado Corazón.